JN039985

著 デニス・ウェストフィールド
在日オーストラリア人ジャーナリスト
訳 西原哲也

外国人には
奇妙にしか見えない

日本人という呪縛

国際化に対応できない特殊国家

The curse of Japaneseness

徳間書店

はじめに

西洋文化のオーストラリアで育った筆者は、ジャーナリストの仕事柄、これまで世界各国を回ることが多かったが、日本に初めて滞在した時の驚きの感覚を、今でも覚えている。筆者はそれ以来、日本の虜(とりこ)になってしまい、以来、30年も日本と関わり続けている。

日本は世界に例を見ない、実に独特で素晴らしい伝統や文化を持つ国である。芸術品のように美しく、食材の旨味をうまく引き出した日本料理の数々。特に寿司や刺身、懐石料理といった日本料理の奥深さには、いまだに感動を覚える。

四季折々の豊かな自然環境と、それに調和した伝統的な住宅家屋。日本の伝統家屋ほど奥深く、神秘に満ち、美しい建築物は世界のどこに行っても存在しない。

日本の大半の人々は控えめで優しく、驕(おご)らない。公共の場所では多くの人々が静かに振る舞い、地震といった災害にあっても、スーパーなどでの強奪や略奪事件などは起きず、食事の炊き出しなどでも行儀よく整列する。

人間は非常事態に陥った時に、本性が現れるものだ。地震や津波で家を失うという危機に見舞われても、人間としての品位を保つことができることに、私は目を疑ったものだ。

筆者が育ったオーストラリアの大学で学んだ精神病理学では、健全な人格の条件として「統合性」がその一つに挙げられていた。落ち着いて安定している時に周囲に見せる人格と、非常事態に陥った時に現れる人格が同じであることを言う。

東北地域を襲った未曾有の大地震で、海外メディアは、「自然災害や混乱が起きた後に必ずある略奪」が日本では起きていないことについて、驚きと称賛の声を上げていたものだ。大地震や津波で多数の命が奪われ、寒さの中で水道やガス、一部電気が止まるという惨状の中でさえ、日本人は店の前に整然と一列に並んで乱れることはない。なかには自発的に値下げをしたり、商品を無料で配る商店もあったという。

一部の外国なら、パニックや略奪、暴動が起きているところだ。ハリケーン「カトリーナ」が襲った米国や、大地震が起きたハイチ、そして2023年に大洪水に見舞われたニュージーランドでさえ略奪が起きている。いったいなぜ日本ではそうした混乱が起きないのか?

暴動が起きない、世界でも稀な日本社会

確かに「困った時でも人間として襟を正す」という感覚が、日本の文化にはある。

海外では日本が米国のような階級社会や多民族国家ではないことを理由に挙げ、またCNNテレビは、日本文化研究者の声を紹介し、日本人がコミュニティーや社会秩序を保つ責任感が強いことを挙げていた。日本人には、災害大国として長年生きてきた国民としての自然への畏(おそ)れもあ

るのかもしれない。

だが、それだけではまだ十分に説明されていない気がしていた。〝日本人としての矜持(きょうじ)〟といった観念が、日本人の中にはあるように感じている。

日本の街は全国津々浦々、どこに行っても清潔で、ゴミ一つ落ちていない。最近は、サッカーのワールドカップなどの国際試合で、試合後のスタジアムでゴミ拾いをする日本人サポーターの姿が、世界でたびたび話題となっている。

最近は物騒になったとは言うものの、それでも海外の大都市と比べると、東京で夜中に歩いてもほとんどトラブルに巻き込まれることはない。確かに、日本はまだどの国よりも安全だと言っていいだろう。

そして男女ともに世界トップクラスの寿命を誇る。これは同じく世界トップクラスの医療環境とも無関係ではない。

物を作れば最高品質の物を作り上げる。渓流釣りの毛針から水素自動車まで、その極めて優れた職人気質は世界で群を抜き、日本以上にモノづくりが優れた国を筆者は知らない。

また日本の優れたサービスは、「わび」や「さび」というつつましく、質素で崇高な美的感覚を持ち、酔狂な派手さを嫌う。客人を神として扱い、一期一会をもってもてなす。日本の天皇が海外からの要人に会う部屋の質素さに、筆者は究極の美しさを見たものだ。

神道や仏教を軸とした独特の社会風習から、映画やマンガ、アニメといった現代の日本文化まで、世界の中でこれほど独特で優れた文化を持つ国はほかにないのではないかと、舌を巻いたものだった。この国の神秘さは、世界に本当の意味で知られていないのではないかとさえ、筆者は思っている。

日本人は自由を謳歌しているのだろうか

だが――。

数々の称賛とは裏腹に、どうも当の日本人たちには、いきいきした躍動感や自信が感じられない。役人は制度に縛られて自由に動けず、政治家も現状の体制を改革しようとはしない。

われわれ外国人から見ると、本来、自由を謳歌するはずの人生なのに、日本人は本当の自由を知らず、制度をひたすら守り、過剰に働き、苦痛を忍び、権威や因襲に服従することをよしとしているかのようである。

それは、逆に海外でのびのび活躍する日本人の振る舞いからも感じられる。

たとえば、スペインで活躍しているサッカーの久保建英選手はスペイン語が非常に堪能で、現地メディアとのインタビューにもスペイン語で対応している。久保選手のコメントが非常に軽妙で面白いので、スペインの国内メディアでも久保選手は大人気になっていた。あるラジオ番組で、インタビュアーが「タケ、日本人は真面目で堅いイメージがあるけど、あなたは違うよね？」と聞くと、久保選手は「スペイン語ではより本音で話せる。日本では文化的に、より気を付けて話さなければならないからね」と話していた。

また、米大リーグで大活躍している大谷翔平選手が、球場のベンチでチームメートとじゃれ合う姿が動画サイトなどでよく流れている。大谷選手は、チームメートどころか、監督やコーチ、時には審判にさえ親しげに肩をポンと叩いて挨拶したりする。そうした振る舞いは日本のプロ野球界ではあり得ないだろう。大谷選手は大リーグで実に伸び伸びと振る舞っている。

本来自分の国なのに、自由に発言できず、伸び伸びと振る舞えないというのは、どういうことだろう。日本は北朝鮮のような独裁国家でも、中国のように言論の自由がないわけでもない。女性の振る舞いが制限されているイスラム原理主義国家でもない。

有名人ばかりではない。海外に住んでいる一般の日本人の多くは、日本に一時帰国する際、公共の場所などでは暗黙のマナーが強要され、何か間違った振る舞いをしていないか、常に緊張を強いられるという。

最も住み慣れた祖国だというのに、日本中に蔓延(まんえん)しているその堅苦しい空気や、緊張を強いる磁場とは何だろうか?

心を病む人が多い日本

ここで日本人についてのネガティブな話を挙げて大変恐縮だが、厚生労働省の統計によると、日本で精神疾患を有する総患者数は約419・3万人（2022年）もいる。実に29人に1人が精神疾患を持っていることになる。これは尋常ではない数字で、しかもその数は年々増加傾向にある。特に、長引く不況や労働環境の悪化などによる生活不安などのストレスで、うつ病や認知症の患者も増えている。

日本人の自殺者も非常に多い。同じく厚生労働省と警察庁が実施した統計によると、その数がピークだった2003年（3万4427人）から減少傾向にあったものの、2019年から再び増加傾向に転じており、2022年は2万1881人に上った。10万人当たりの自殺者を示す自殺率は17・5（男性は24・3、女性は11・1）となっており、先進国中では例年トップクラスだ。

もうひとつ。これはよく引用されるが、国際機関SDSNによる「世界幸福度報告書（World Happiness Report）2023年版」によると、幸福度ランキングで日本は137カ国・地域中47位だった。主要7カ国（G7）では最下位だ。

先進国の子どもの状況を比較・分析したユニセフの報告書「レポートカード16」（2020年）では、日本の「子どもの幸福度」の総合順位は38カ国・地域中で20位。特に特筆すべきは、身体的健康が1位だったにもかかわらず、精神的幸福度は37位と、下から2番目だったことだ。

引きこもり状態にある日本人は現在約１５０万人もおり、一人暮らし世帯は既に全世帯の３分の１以上に上る。２０４０年までに人口の半分が単身となり、毎年４万人が一人で死んでいく。

これらの悲しい状況は、外国人でも日本で生活していると想像できることである。日本人の特徴は、人々が社会的自由を縛られ、自己肯定感が低いことである。それがこうしたデータの背後に隠れている。

由緒正しく伝統ある国で、物質的に恵まれており、整った社会インフラがあるというのに、明らかに精神的には病んでいる。国民の多くは幸福感を感じられていない。

《世界幸福度ランキング：2023年》

順位	国名
1位	フィンランド
2位	デンマーク
3位	アイスランド
4位	イスラエル
5位	オランダ
6位	スウェーデン
7位	ノルウェー
8位	スイス
10位	ニュージーランド
12位	オーストラリア
13位	カナダ
14位	アイルランド
15位	米国
16位	ドイツ
19位	イギリス
21位	フランス
25位	シンガポール
27位	台湾
33位	イタリア
44位	カザフスタン
47位	日本

（出所）「World Happiness Report 2023」

何が日本人をそうさせているのか

一体、何が日本人をそうさせているのだろう。

筆者はどうしても、この極めて独特な国の「秘密」を掘り下げたくなった。日本語を習得し、日本の報道機関で働き、我が母国のオーストラリアと日本を行き来しながら、日本社会の観察と分析を続けてきた。

すると、日本社会の洗練された表の顔とは裏腹に、日本人を縛り続けているものがいろいろと見え始めた。そして気づいたのは、「日本人は呪縛を抱えて生きている」ということだ。筆者はそれを「The curse of Japaneseness（日本人という呪縛）」と呼ぶ。

筆者だけではない。日本をよく知る多くの外国人は、日本の姿を国際的常識から見て奇妙だと思っている。先進国だというのに、日本の政治家や官僚たちは自分の既得権益に敏感で、世界のことに関心を示さない。首相というリーダーでさえ、国家観（ビジョン）を持たず、完全に官僚に操られている。官僚は自分たちの省益や既得権益の維持に固執し、人事や天下り先だけに関心を持ち、現状維持という目的がプログラムされているかのようだ。

また、権力の監視役である新聞やメディアはその役割を果たさず、ドラマやお笑い、グルメ番

《オーストラリアと日本との比較(2023年)》

	オーストラリア	日本
人口	約2650万人(54位)	約1億2430万人(11位)
GDP	1兆7075億ドル(13位)	4兆4097億ドル(3位)
1人当たりGDP	6万1400ドル(10位)	3万4000ドル(30位)
最低賃金(時間額)	23.3豪ドル (約2200円、23年7月)	1004円 (23年10月)
平均年収	7万500豪ドル(約670万円) 正規雇用者は9万2000豪ドル(約874万円)	約403万円 正規雇用者は約508万円
休暇制度	有給休暇(20日/年・未使用分は累積) 病気休暇・介護休暇(10日間/年) 育児有給休暇(12週間/年)、 無給地域活動休暇(10日/年) ほか	有給休暇(20日) (取得率は約50%、未使用なら消滅) 育児休業 (1歳までの育児休業の権利を保障) (賃金の支払い義務なし) (育児休業給付金、計4週間分あり)

組だけを垂れ流して、予定調和や現状維持に加担している。国民もそうした番組やアニメ、ゲームなどの娯楽だけを求めており、社会や政治参画への意欲は異常なほど低い。

政治家や外交官は、国際社会や外交面で、日本が明らかに不利な立場を強いられても見て見ぬふりをし、新聞やテレビは怒りも表明しないケースがよくある。それは上澄みをすくう程度の報道で、メディアの役割を果たしたつもりでいる。

高度に整った社会インフラは個人の便利さを追求しすぎて、人々は不自由なことに対する耐性ができていない。また個人のプライバシーに配慮しすぎて、「お一人様」向けのレストランやサービス、家電製品まで過剰に存在している。一見便利なように見えるが、社会全体のコミュニケーションや他者との交流を奪っている。

何よりも、日本人の幸福度が先進国で最低クラスということが、すべてを物語る。

日本とオーストラリアを行き来して見えてきたもの

日本人がその呪縛から解放されて、自由に生きるにはどうしたらいいのか、外国人の立場から長年考え続けた。その答えはまだ見つからないが、日本が持つ呪縛を解くカギは、実は筆者の母国であり、日本とはありとあらゆることで正反対の国でありながら、近年、日本と急接近しているオーストラリアにあると思っている。

日本社会の負の側面とオーストラリアの状況を俯瞰しながら、そのことを詳述していきたい。

日本人自身が近年、「自分たちの国民は幸福感を享受していない」「世界から取り残されている」「何かがおかしい」などと気づき始めている。日本人はそろそろ、この閉塞した社会を変えるための行動に移す時である。

2023年12月

デニス・ウェストフィールド

目次

第2章 画一的日本人をつくる文科省教育

第3章 丁寧、親切、そして傲慢症候群

第4章 世界標準からかけ離れた日本の新聞・テレビ

第5章 自国を貶める、事なかれ外交

第6章 景気低迷は政府の経済失策となぜ見ない

第7章 農産品輸出を阻むシステム

第8章 少子高齢化になぜ本気で取り組まないのか

第9章 変わらぬ政治、変える気がない国民

終章

日本人という呪縛

ブックデザイン　山之口正和＋齋藤友貴（OKIKATA）
図版作成　浅田恵理子

第1章

英語という呪縛

戦後80年変わらない英語下手

日本人の国際化を阻み、世界でどうしても孤立してしまう原因となっているのが、英語である。日本の英語教育は日本人にとって最大の呪縛の一つだ。これは本来、解決可能な問題でもあるというのに、戦後から一向に変わっていないことは特筆に値する。そこで最初に、日本人の英語教育について触れたい。

世界で最も奥深い文化を持つ日本だけあって、その言語である日本語は実に独特で、表現が豊かだ。だからこそ、アニメや漫画といった世界に受け入れやすい日本のポップカルチャーだけでなく、神道や禅の精神に根付く日本人のメンタリティーにいたるまで、そしてもちろん日本の政治や経済でも日本人が海外で理解されるためには、外国人とやりあう英語能力が今後さらに必要だと常々感じている。

ところが、日本国内にはそんな人材はあまりいない。日本の中で英語ができて発信力がある人は日本の奥深い文化に関心がなく、逆に日本文化に造詣が深い日本人は英語ができない。なかなか両方が揃わない。

日本は政治や外交面でも、相変わらず世界で自己主張ができず、アメリカのような大国に寄り添い続けるだけの外交を何十年も続けている。日本が世界の中で沈黙せざるを得ない、最も大きな理由が英語下手であることだろう。

筆者は海外でさまざまな外国人と話をするが、日本人ほど英語を苦手としている国民はいない。とくに日本の政治家の英語能力の低さは、その国の内向き度合いを示している。

これは、日本語と英語の言語構造的な理由が大きいが、それだけではない。日本の英語教育制度に欠陥があるのは明らかだ。

日本で「英語学習」の重要性が半世紀以上も叫ばれていながら、日本社会としてはほとんど進化できていない。日本の英語教育は、戦後にＧＨＱが採用した「文法訳読方式」が基になっていると言われる。文法と翻訳を重視した教授法で、会話はほとんど無視されてきた。それが戦後80年経つというのに、ほとんど改革されてこなかったのだ。

日本で英語を学習する若者たちは、そのまま勉強し続ければ、いつか自由自在に操れるほど英語が流暢になると信じ（させられ）ている。だが、筆者がこれまで日本国内や海外で概観してきた限りでは、残念ながら日本語だけで育った日本人であるなら、それは非常に難しい。筆者の知る留学経験がある日本の政治家や高級官僚、外交官でさえ、国際的な場面で、英語で丁々発止の議論をできる日本人は極めて少ないことからも明らかだ。

当然ながら、適切な教育とカリキュラムを受けていれば日本人でも英語が上達することはできるのに、それを不可能にしているのは、官僚組織やメディア、日本人全体の意識が関係していると思っている。

日本の英語力はずっと世界で下位

まず、文部科学省による日本の公立学校の英語教育システムのお粗末さについて指摘していこう。

国際教育事業のEF Education Firstが2022年末に発表した、英語能力指数「EF EPI（English Proficiency Index 2022）」の国際ランキングによると、日本の順位は111カ国・地域中80位と、昨年の78位からさらにランクを下げた。

日本は、英語力が「低い（Low Proficiency）」とランク分けされた27カ国の中でも、さらに下位3分の1のグループに属する。アジア地域だけ見ると、シンガポール（2位）やフィリピン（22位）、マレーシア（24位）、香港（31位）などが続き、韓国でさえ36位、中国は62位だった。

またTOEFL iBTの合計スコア平均（2020年）は、日本は73とOECD加盟国では最下位で、アジア地域だけ見ても、ラオスとタジキスタンに次いで下から3番目だった。韓国は86、中国は87だった。

また文部科学省が毎年実施している「英語教育実施状況調査（23年）」では、政府が目標とする英語力（中3生で「英検3級」以上、高3生で「英検準2級」以上）を身につけているのは中3生で49・2％、高3生で48・7％しかなかった。

この調査で案の定だと思わされたのは、英語教員自身の英語力調査だ。「英検準１級」相当以上の英語力を持つ教員の割合は、中学校では41・6％しかいない。高校では72・3％だったが、小学生、中学生という頭の柔らかい時期に英語の言語感覚を教えるという意味では、高校よりも中学の英語教師のほうが重要だと言える。言語習得での臨界期は10歳前後だとも言われるので、中学でも遅いかもしれない。

それなのに、日本の中学では、英語力レベルが「大学中級程度」とされている英検準１級を持つ英語教師は４割しかいないというのだ。当然ながら彼らは大学を出て、英語を特別に専攻してきたはずだ。

各種の英語資格・検定試験で、日本の平均スコアは諸外国の中で最下位クラスであることについて、文科省はサイトで「グローバル化する中で世界と向き合うことが求められている我が国においては、自国や他国の言語や文化を理解し、日本人としての美徳やよさを生かしグローバルな視野で活躍するために必要な資質・能力の育成が求められている」と記している。

もっともらしく聞こえる説明だが、何を今頃言っているのだろう、と筆者は白けた。「文科省は半世紀以上、それを放っておいたではないか」と突っ込みたくなった（第９章で述べるが、少子化問題でも、厚生労働省はまったく同じように35年間も無責任なことを述べ続けてきた）。

しかも、これだけ内向きの国民を量産しておきながら、文科省は「グローバルな視野で活躍するために必要な資質・能力」を一体どのようにして育てるつもりなのか。

留学経験のない英語教師ばかり

日本の公立中学・高校の英語の試験問題を見せてもらったことがある。これでは英語がうまくならないのは道理だ、と思ったものだ。とてもじゃないが、実用的だとは言い難い。日本の教科書や文法書にはネイティブがあまり使わない表現が多いし、教科書で使われる単語もそもそもネイティブがよく使う単語の頻度が反映されているわけではない。

教科書や教材に問題があるのに、英語の試験問題はそれらに合わせて作られている。カッコにどんな前置詞が入るかとか、4択問題や単語訳問題など、記憶力や知識を問うようなものばかりで、重箱の隅を突ついたような問題が目立つ。正確な英語を学ぶべき立場の人には有用だが、中学生や高校生が、クイズのような問題に慣れる必要が一体あるのかどうか。おそらく授業の現場でも似たようなものだろう。

そもそも日本では、小学校4年生程度でローマ字を教えることになっている。だが、小学校という頭の柔らかい段階でローマ字を教えることは、まったく意味がないことだ。逆にそれによって、日本人の英語はローマ字読みになってしまっている。英語圏では、子どもたちに読み書きを教えるために、発音と文字の関係性を学ぶ音声学習法である「フォニックス（Phonics）」を習う。日本の中学・高校でも取り上げればいいのに、日本人の英語教師はそれを教えられないのだろう。

また最近は見直されているようだが、英語教育はリーディングばかりで、コミュニケーションにまったく重点が置かれていない。日本の英語教育は、大学入試の英語問題をクリアすることが最終目的に設定されており、必然的に高校英語はリスニングやスピーキングがおろそかになる。大学入試は必然的に採点しやすいテストになりがちなので、スピーキングで、全国的に統一した基準で採点する難しさに及び腰になっているのではないだろうか。

日本の公立学校では、だれが英語を教えているのか。それは教員資格を持った日本人の英語教師である。彼らは大学在学中、教職課程を履修して単位を取り、各都道府県の教育委員会から教員免許状を受けなければならない。

教員採用試験に合格するには、都道府県の細かい規定を満たし、教職教養と専門教科の試験をパスしなければならない。具体的にいえば英語教師になるために、「学習指導要領に関する問題―小中高校の総則」「教育関係法」「教育基本法」「学校教育法」「地方公務員法」「一般教養」などの教職教養試験をパスしなければならない。この時点で日本人以外は排除されてしまう。また、それらを勉強するために、大学で1年以上英語圏に留学することは難しくなる（留年覚悟なら別だが）。結果的に、日本には留学経験のある英語教師が圧倒的に少ないという状況となるのだ。

だが、そもそも筆者に言わせれば、なぜ全国でほとんど同じ文部省認定の教科書を使い、英語教師は日本人で、しかも一般の教員免許保持者でなければならないのだろう。教えるのは外国語である英語であり、英語のネイティブや、海外経験があって英語が堪能な日本人でもいいだろう。

英語は日本人にとって特殊な科目なのだから、教員免許を持つ日本人にこだわらずに、英語の授業だけを民間企業に委託することも可能だろう。硬直した制度があるなら、変えればいいだけの話だ。最終的な目的は、日本人生徒たちの英語力を伸ばすことだ。その目的に合わせて制度を変えればいい。

筆者の娘が通った日本の公立中学校でも、生きた英語を教えるべき英語の教師が、英語圏どころか外国にさえ行ったことがなく、「いつかは外国に行ってみたいものです」とあっけらかんと話していたという。また、知人の公立学校の英語教師に聞くと、英語の教師だというのに、外国に行ったことがないどころか「パスポートさえ持っていない英語教師はざら」だという。そもそも外国に関心がないかのようだ。

その他にも、採用される英語教員の質の低下を指摘する声はあまりに多いが、日本ではどんなに質が低い授業をしても解雇されることはない。

オーストラリアで、英語教師をしていたという30代の日本人の若者と話したことがあるが、彼は「pedestrian（歩行者）」という単語を知らず、オーストラリアに来て初めて知ったと言うので、こちらも苦笑してしまった。おそらく、そうした例は枚挙にいとまがなく、日本での受験対策の英語の語彙とはそんなものだろうと想像させられた。

前述したように、英語を日本人の児童・生徒に教える最終目的は、外国人と英語でコミュニケートし、海外に出ても不自由なく英語を使えるようにすることだろう。それなのに日本の英語教育は、「大学受験の英語科目の試験で高得点を取ること」が目的になってしまっているのだ。

そのため、全国で統一の英語教育課程を網羅した教科書を使うことになる。英語のレッスン資格が必要なのは分かるが、そもそも英語を教えるのだから、文部省の教員免許は不要でもいいだろう。

日本国内にも、外国滞在経験があり、実地で生の英語を使ってきた日本人の元海外在住者や留学経験者はたくさんいる。民間企業を定年退職した人でもいい。彼らは、日本人にとっての英語上達のコツを知っているはずである。彼らは、日本人児童や生徒が英語学習に興味を持つような現地での文化体験や、効果的な学習法を、日本人教師よりもよほど持っているに違いない。

日本人の生徒に決定的に足りないのは、スピーキングの技術だと言われる。それなのに学校では、ずっと日本語環境で過ごしてきただけの若い日本人が日本語で英語を教えているのだ。

日本人でなくても、アメリカ人やイギリス人、オーストラリア人のほか、フィリピン人やシンガポール人といった英語（発音の訛（なま）りを最初から問題視するべきではない）ができる外国人は日本にはたくさんいる。そうした外国人を有効に活用する機会を増やしてもいいはずだろう。

何度も言うが、目的は日本人児童や生徒に「使える英語」を習得させることである。だとすれば、英語の教師は、教員免許などという規制に縛られる必要はまったくない。

ＪＥＴプログラムの効果は

文科省にも、外国人教師の導入という発想はある。日本では、１９８０年代には高度経済成長に伴ってグローバル化が進み、英語教育の重要性が盛んに叫ばれるようになった。そこで１９８７年に初めて英語圏の若者を招致して、都道府県の公立学校に派遣して英語教育のサポートをするという「ＪＥＴプログラム」が始まっている。

最初は米国、英国、オーストラリア、ニュージーランドの４カ国から８４８人が招かれ、２０２２年には約５７００人に増えている。

だがこれまで、日本の生徒がこうしたＡＬＴ（英語指導助手）の授業に触れることができるのは非常に限定的だ。地方なら特に、１つの学校に１人いるかどうかで、学校によっては３カ月に１回しかＡＬＴが来ないケースが多い。しかも、英語の授業でＡＬＴが来ても、実際に彼らがやることは日本人の英語担当教師のサポートで、英文や英単語を読んで聞かせるといった風である。ＡＬＴが自由に英語クラスを主導する権限も時間もないのが実情だろう。

筆者が取材したＡＬＴは、自分たちが「英語の授業でうまく生かされていない」と言っていた。ＡＬＴがやることは、日本人の英語教師に頼まれて、時々単語や英文を読んで聞かせるといった程度だったという。

さらに日本の英語教育制度自体、大学入試の際の、クイズのような記憶力重視の英語問題を解くことが最終目標となっているので、進学校によっては、なんとALTの存在が邪魔になるなどと日本でしか起こりえないようなクレームも出た。ALTが来ると、いつもの教科書の内容ではなく、特別授業となることが多いためだ。

日本の受験生の間で知らぬ者はいないほど有名な入試用英単語本の著者は、まったく英語が話せなかった、という笑えない話もある。

独特で孤立した日本語

日本人が長年英語が上達しない理由として、「日本語という言語構造の特異性」があるのも事実だ。日本語が極めて特殊な言語であるのは世界の言語学者も認めるところだ。

挨拶程度の英会話や文章読解程度なら、問題はない日本人は多い。だが日本で育った日本人である限り、日本語のように体の芯にまで染みわたるような理解の感覚は、残念ながら、よほどの環境を続けない限り英語ではなかなか得られないだろう。それは、幼いころから英語圏で教育を受けた、真の意味でのバイリンガルの日本人でなければ分からない感覚だ。

それは、英語がネイティブではない外国人であれば皆そうだと言われそうだが、日本人が英語を習得する難しさは、フランス人やスペイン人が英語を学ぶ難しさの比ではない。

概観すると、インド・ヨーロッパ語族に分類される英語と、ほぼ孤立した言語である日本語は言語構造が対極にあるほど違う。

日本語は、主語が省略されたり、動詞が最後に来るといった他の言語と比べて独特な文法や文字体系、書き言葉と話し言葉の違い、敬語の存在、音声の特徴など、世界の他言語と比べ、極めて特異な要素を持っている。そのため「日本語は悪魔の言語のようだ」という言語学者もいるほどだ。

欧州の人々が容易に英語を話せるようになるのも、その国の言葉と言語構造が似ているからに違いない。その意味で日本人にとっては、英語をマスターするのは至難の業だ。

逆に欧米の外国人が日本語を習得するのもやはり難しく、敬語の使い方、まして書き言葉となると、もう大半がお手上げだ。

アメリカの国務省には外交官養成局（Foreign Service Institute＝FSI）という、文字通り外交官を養成する機関がある。そこでは各言語を「外国語習得難易度」とランク分けして公表している。英語を母語とする外交官が、プロレベルの外交業務に使えるようになるまでにどのくらいの習得時間が必要かを示し、各言語の習得難易度を一覧化したものだ。

【カテゴリー1（23〜24週間）】（毎日3〜4時間ペースで）半年程度でマスターできる。
デンマーク語、ポルトガル語、オランダ語やフランス語、スペイン語

【カテゴリー2（30週間）】ドイツ語

【カテゴリー3（36週間）】マレー語、スワヒリ語
【カテゴリー4（44週間）】チェコ語、ペルシャ語、クロアチア語、フィンランド語など
【カテゴリー5（88週間）】アラビア語、中国語、韓国語、日本語（＊）

日本語には＊マークが付いており、その中でも最高難度であることを示している。知的レベルが高いアメリカの外交官が1日3時間休みなく続けても、習得には最低2年が必要となると考えられている。

余談だが、中国の東北地方の北朝鮮と国境を接する地域に、日本語を学ぶ中学校がある。地理的に日本とも近く、その近辺に住む中国人は、日本語や韓国語に堪能な住民が多い。

筆者の知人で、そうした環境で育った中国人がいる。自分で言わなければ中国人だとは気が付かないほどの日本語レベルだ。その彼は、母国語の中国語や韓国語と比べても、「日本語の表現の豊かさは非常に多彩ですばらしい」と話す。彼は日本語がそのレベルに達するまで、日本を訪れたことがなかったと言うので、これには筆者も驚いた。

確かに、中国で日本語の通訳を務める人たちの中には、留学などで日本に行かなくても、十分な日本語を習得できている人が多い。反対に、中国に行ったことがないのに通訳を務めるような中国語のレベルになった日本人は、まずいないのではないだろうか。言語習得の難度が双方向で同じではないことを示している。

日本語は、中国語とほぼ同じ漢字を使い、韓国語とは文法も似ているという側面はあるが、言

語構造的に世界各国の言語とは明らかに孤立しているかのようである。

英語が苦手な外交官

日本で英語がよくできる職業と言うと、まず外交官が思い浮かぶ。だが驚かれるかもしれないが、筆者の経験では、日本の外交官でも英語を自在に操れる人は少ない。

以前、ある国の都市に赴任していた日本人総領事が帰任することになり、カジュアルな送別パーティーが開かれたので、筆者も参加した。その際、主賓である総領事がスピーチしたのだが、彼は用意された英語のスピーチ原稿を取り出し棒読みをし始め、ほとんど顔を上げることがなかった。

原稿には少しばかりのジョークも含まれていたが、カジュアルなパーティーで、原稿を顔も上げずに読んだので、場がやや白けた。用意してあった原稿だとしても、ジョークくらいはせめて即興で言ったという雰囲気を出してほしかったが、それもない。

その総領事は、他の場でもスピーチがあるといつも同じように顔も上げずに棒読みをするだけだった。しかも、場が白けるのを本人は気づいていないようだった。あの時の雰囲気は、どこの国だったとしても、パーティーに出席した外国人なら大抵味わう、気まずいものである。

また別の国に駐在していた日本人ビジネスマンが筆者に話してくれたのだが、現地人の部下数人を連れて日本大使を表敬訪問した際、駐在員男性は大使に日本語で話しかけたが、それでは部下たちが理解できないので、部下たちが聞くべき内容を話すときには英語に切り替えて大使に話した。しかし、大使は現地人スタッフを無視するかのように頑なに日本語で話し続けた。英語に自信がないのは明らかで、後で現地人たちの失笑を買っていた。こうした例は他の先進国の外交官ではあり得ず、日本の外交官だけにしばしば見られる光景だ。

日本人の大使や総領事などが、オフィシャルな場面で英語でスピーチする機会は多い。そのスピーチ原稿の多くは、海外の大使館や総領事館が雇った現地の英語ネイティブの日本語通訳者が作成したものだろう。日本人外交官がフォーマルな場面でスピーチする際に、英語ネイティブの助手（大抵はバイリンガル）がスピーチ原稿を練り上げるのは、当然理解できる。日本人外交官自身が英語のスピーチ原稿を作るのは難しい上に、そんな時間もないだろうから当然そうすべきだ。

だが、難解な英語試験もある外交官試験を突破し、外交官になってからさらに何度か国費で英語圏留学を経験するキャリアコースを歩み、何年かして在外公館の大使や総領事になったというのに、自分の送別パーティーという「カジュアルな」パーティーでさえ、挨拶程度の簡単なスピーチも原稿なしではできないというのは、いささか職務怠慢か、能力不足と言われても仕方ないのではないだろうか。

言いたいことが多すぎて文章に書いてきたというなら分かるが、それでもカジュアルなスピーチを原稿棒読みにする必要はない。日本人なまりの発音でも気にせず、堂々と話す日本人は民間にはたくさんいる。

日本では、カジュアルなパーティーでも、主賓はスピーチ原稿を読み上げる習慣があるのだろうか。そんなことはないだろう。自分の送別パーティーならなおさら、「お世話になりました。思い出すのは……」といった風に、自由に話すのではないか。

ではなぜ、外国のカジュアルなパーティーで同じことをしないのか。英語だから？　外交官なのに？

実を言うと、彼ら外交官は英語が話せないわけではない。ここに日本人が抱える「予定調和信仰」が顔を出すのだ。日本人は、それがカジュアルなパーティーであっても、英語のスピーチをして、文法的に間違ってはいけない、もし間違えたら恥ずかしい、と信じているのだ。特に、役職が高くなればなるほどその傾向がある。

ひとくちに英語といってもさまざまな国や地域の話者がおり、それぞれに違った訛りがある。スペイン語訛りの英語やインド訛りの英語は、日本人にも特徴的に聞こえるはずだ。だがそんなことは、ネイティブはそれほど気にしていない。

外交官だけでなく、民間企業の日本人駐在員も英語ができないのは同じだと言われるかもしれない。しかし、そちらには同情の余地がある。彼らは製造業者であり、商社であり、サービス業者であり、銀行員である。要するに、金を稼ぐことが第一義のプロフェッショナル集団であり、駐在員として派遣されたといっても、英語力や外国人との社交技術、スピーチ力を磨くことが重要視されるわけではない。

だが外交官であれば、英語が日本語訛りでもまったく構わないから（むしろ日本語訛りがあったほうが現地では好感が持たれるかもしれない）、外国でのイベントでのスピーチ態度は洗練されたものであるべきだ。それは膨大な外交費を費やした、プロの外交の仕事だからだ。

日本の外務省では、外交官に対し、海外での社交技術やスピーチ態度などのトレーニングがなされていないのではないか。

オーストラリアも含め、欧米の先進国では外交官は特別な訓練を受ける。言語訓練や機密情報の扱いはもちろん、諸外国の社交場での振る舞い、スピーチやその技術などに関してもだ。外交官としての矜持を持ち、自然な振る舞いで相手国のカウンターパートに優雅な印象を与えるよう訓練される。

概して白人は背が高いが、日本の外交官ならそのことに少しも臆することなく、常に胸を張るべきだ。伝統ある日本という大国と、現地在住の日本人を代表する立場だからだ。社交マナーを身につけず、スピーチでも原稿から目を離さずに棒読みする、などというのは論外だ。

悪名高いほど内気な日本外交

筆者がインタビューしたことのある中国のある高級官僚は、「日本の若手外交官の交渉力は、他国と比べてかなり低い」と話していた。中国側と日本側の若手外交官が対面する交渉の席で痛感するという。また韓国の外交官は、筆者に「日本人は英語もできず、メンタルも弱いので、外交では強く出ると効果的だ」と話していた。

オーストラリアでの話だが、2023年初頭まで約2年半、首都キャンベラに、まれに見るほど精力的な日本人大使が赴任していた。

現地メディアが舌を巻くほど広範な政財界の人脈ネットワークを持ち、頻繁にメディアに登場して外交問題にもコメントしていた。筆者としても、日本人の外交官で、あれほど社交的で地元政界に食い込んだ外交官は初めてだった。

彼は大使館内の部下に対しても厳しく、「国民の税金で大きな家に住まわせてもらっているのだから、現地のオーストラリア人を家に呼ぶなどして、積極的に外交活動せよ」とはっぱをかけていた。まったくその通りだろう。実は外交官といえども、日本人は現地で日本人とばかり寄り集まって群れがちになるからだ。

彼の「日本人外交官らしからぬ」積極的な外交活動は、現地での日本の存在感を飛躍的に高めたのは間違いない。だが一方で、日本の国内外の一部の人からは、余計な口出しをするなという反発も食らっていた。

日本政府の外交は近年、海外でのサミットで外国首脳たちの雑談の輪に加われず孤立する首相や、反論するべき場面でさえ何も言えない外相など、「おとなしい日本外交」が常態化してきた。

近年では、２０２０年11月に訪日した中国の王毅外相が当時の茂木敏充外相と会談した際、王毅外相は日本での記者会見という場で、尖閣諸島問題について中国の一方的な立場を並べ立てた。それにもかかわらず、茂木外相がその場でまったく反論できなかったのは、さすがに日本国内の世論でも問題視された。

オーストラリアの新聞も日本外交については「悪名高いほど内気（notoriously reserved）」と書いたほどだ。海外メディアは、旧態依然とした日本の外交方針を見慣れているのだ。

オーストラリアのメディアや識者の間では、「日本の外交はおとなしくしていろ」という偏見が実際にある。欧米メディアでは、日本の外交は中国にも似た「秘密主義」で、特に海外メディアの取材には大した情報を与えない傾向がある。それらは即ち、日本政府や外務省が長年築いてきたものだとも言える。それも、英語下手であることと大いに関係がある。

米、英、オーストラリア、カナダ、ニュージーランドというアングロサクソン系の英語圏５カ国による機密情報共有の枠組み「ファイブアイズ」の加盟に、日本は近年関心を示しているが、それは日本側の体制が整わない限り非常に難しい。

オーストラリアのある外交筋によると、この5カ国内ではほとんどすべての機密情報が自由に共有されている。だが、日本には有力な親中派議員の勢力も存在しており、スパイ防止法による情報統制の仕組みがないことが最大の問題だ、と指摘する。その上、英語による情報共有に難があるとなると、日本の加盟はほぼ絶望的だと筆者は見ている。

英語を話すのは恥ずかしい

さて日本の英語教育の話題に戻るが、日本では2020年以降、全小学校で小学3年生から週1コマ、年間35時間の英語が必修となっている。小学3、4年生では「聞く力」「話す力」といったコミュニケーションを重視して英語を学ぶという。

文科省は最近、英語教育や日本人の対外発信力を強化する「アクションプラン」をまとめている。その内容は、英語で「聞く」「話す」「読む」「書く」という4技能を総合的に評価した入試を実施する大学を補助金の加点対象にして支援するのだという。

だが、文科省が推進するこうした政策は、日本人の英語発信力の改善にはほとんど貢献しないと思われる。元凶は、高校段階で留学することがペナルティーになってしまう全国一斉の大学入試や、英語教師資格などの制度にあるからだ。

また日本には、英語学習ブームが長年続いているにもかかわらず、同時に、日本人社会で英語を話すことは恥ずかしいという感情が社会全体に蔓延していることもネックだ。それほど日本語は、日本人自身のメンタリティーに濃密にこびり付いているのだ。

日本人の英語に対する態度について考える時、筆者はなぜか江戸末期から明治期に日本を訪れた欧米人たちによる手記を思い出す。彼らは一様に、日本人の服装や装飾について、「上に着るものは地味な色合いだが、下に着るものが派手で鮮やかだ」と感じていたという記述がある。例えば着物には、表は地味な色合いだが、裏地に艶やかな刺繍が施されている場合もよくある。日本人にとっては、外に見せるものを奢侈（しゃし）豪奢（ごうしゃ）なものにすることが、無粋であるという感覚があった。

同じように、日本人の中には、日本人社会で英語を話すことが、どこか「西洋的ハイカラなもの」を着飾って見せびらかすことのように、赤面するような羞恥心を伴うのだ。

筆者がオーストラリアの高校に留学した日本人生徒に聞いたところ、彼は高校の時から英語が得意だったが、クラスで英語をうまく話すと、それを冷やかすような雰囲気があったという。集団の中で一人だけ違ったことをするのを排斥する日本特有の集団意識だ。まずこの歪んだ意識を教育制度の中で改める必要があるのだが、文科省はそこまで踏み込めないだろう。

海外留学すると不利になる社会

また、日本では、高校時代の海外留学は推奨されない。それは大学入試を受ける年が1年遅れてしまうからで、大学でも社会でも同じで、海外留学などで複数年海外で生活すると、日本社会の「既定のレール」から外れることになり、不利になる。こんなシステムでは、生きた英語が身に付くはずがない。

筆者には、大学卒業以来、海外と日本を行き来する生活を30年以上続けている日本人の友人がいる。彼は、ビジネスで細かなニュアンスを必要とする会議や読み書きなどではいまだに英語で苦労すると言っていたが、日常生活や通常のビジネスではまったく困っていない。

まじめな国民性を持つ日本人なので、彼のように、日本人が国際的に活躍できるくらいの英語は習得できるはずだ。だが国民の大半が、それがほとんど実現できていないのは、やはり英語学習を取り巻くシステムが間違っているからに違いない。

第2章

画一的日本人をつくる文科省教育

海外を敬遠する日本の若者たち

オーストラリア第5の都市、南オーストラリア（SA）州の州都アデレードは、バロッサバレーを擁するワイン産業や、航空・軍需産業で知られるが、もう一つこの都市を支える巨大産業に、教育産業がある。

人口約140万人程度に過ぎないアデレードには、世界に門戸を広げる大学がアデレード大学と南オーストラリア大学（この2校は最近合併した）やフリンダース大学など5校もあるほか、ワインやフード産業の専門的職業訓練校や航空学校もある。

筆者は先日アデレードを訪れる機会があり、アデレード大学の関係者らと外国人留学生の数について話をした。

アデレードを中心とした南オーストラリア州への2023年時点の外国人留学生は約3万7000人で、コロナ禍からはほぼ回復したようだ。話を聞くと、アデレードは確かに、他都市と比べても教育環境は充実している。海外からの留学生に対して最もアピールできるのは生活コストの安さだ。シドニーなどの大都市と比べると24％も生活費が安いらしい。シティ内のトラムが無料だったり、留学生は映画などの無料券がもらえたりする。

だがどの大学でも「かつては、日本人学生はもっと多かったのですが……」という言葉を口にした。彼らによると、留学生の数はコロナの時期を除いて順調に増えてはいるが、日本人の留学生だけは落ち込み続けているという。現在、日本人学生はわずか４００人程度と、留学生全体の約１％にすぎない。そのため彼らは、日本人の学生に一体何が起きているのか不可解に思っているとのことだった。

また、オーストラリア最大のニューサウスウェールズ州にあるニューキャッスル大学の２０２３年の卒業式には、当時の日本国大使だった山上信吾氏が呼ばれてスピーチをした。

大学の卒業式に日本の大使が呼ばれるのは珍しいそうで、山上大使も意気込み、原稿を何度も練ったそうだ。スピーチは大変好評だったが、大使が卒業生を見ると、中国系や韓国系のアジア人学生は１００人以上いたというのに、日本人学生は留学生を含めてなんと、たった一人もいなかったのだという。

調べてみると、22年時点でオーストラリアへの外国人留学生は62万人いる。その内訳は、シドニーのあるニューサウスウェールズ州が24万４０００人。メルボルンがあるビクトリア州が18万７０００人。ブリスベンのあるクイーンズランド州が９万１０００人。パースがある西オーストラリア州が３万８０００人、アデレードのあるＳＡも３万８０００人、などとなっていた。

留学生の国別内訳では、中国人が最大の15万６０００人。インド人が10万人。ネパール人が５万７０００人。コロンビア人が２万３０００人。ベトナム人が２万２５００人などとなっている。

ところが日本人は、韓国人の１万１４００人よりも大幅に少ない８９００人しかいなかった

（国別ランキングでは17位）。

それでもオーストラリアに留学する日本人学生が昔からずっと少なかったわけではない。約20年前の２００４年のピーク時で1万６５００人と、現在の約2倍はいた。その年は、オーストラリアへの留学生のうち、日本人学生の占める割合は約10％、10人に１人は日本人（ランキングでは第5位）だったのだ。

それが２０２０年のコロナ禍で９４００人と1万人を割り込んだ。不可解なのは、コロナが収束してからほかの国々からの留学生は回復しているのに、日本人はさらに落ち込み続け、２０２３年になると７０００人も割り込んでしまった。割合では全体の１・２％しかない。

一体これはどういうわけだろう。

日豪関係は近年、貿易面や安全保障面でかつてないほど良好な関係を築いてきた。通常、日本との関係が良好になればなるほど、その国への留学者数も増える傾向にある。だが、オーストラリアではまったく正反対の結果になっている。

オーストラリアはかつて、日本人の海外留学先として米国に次いで第2位だったが、近年はその地位を失ったということかもしれない。だがそれだけではない。日本人の若者自体に、海外で学ぼうという意欲が失われていると筆者には思える。

ワーキングホリデーでオーストラリアに来る日本人の若者も減っていることもそれを裏付けている。最近はオーストラリアの時給が日本の2倍以上もあることが知られて、オーストラリアで働こうという若者は増えているようだが、それでもせいぜい毎年１万人前後で推移している。

人口が日本の３分の１程度の韓国から、４倍以上の３万４８７０人が留学に来ているのを見ると、いかに日本の若者が内向きで、海外を敬遠しているかが分かるだろう。ましてや、日本人でバックパックを背負った海外旅行者、要するに貧乏旅行の代名詞であるバックパッカーの日本人には、筆者はオーストラリアで出会ったことがない。

日本人留学生の落ち込みが始まったのは、スマートフォンが普及してから間もない頃で、当初は日本の大学関係者から、日本人学生が海外留学を敬遠する理由として、「日本のテレビ番組が見られないから」「海外だと携帯がつながらないから」などといった、まるで冗談のような話を聞いていた。だが最近はＳＮＳやネット配信が発達してその問題もなくなったというのに、日本人留学生の減少は回復傾向にあるわけではない。

日本人学生は世界に対する興味を失っているのだ。

アジアへの日本人留学希望者は皆無

日本人留学生は内向きになり、オーストラリアへの留学が少なくなっていると述べたが、それ以上に、アジア諸国への留学となると、日本人はほとんど絶滅危惧種のような存在だ。

日本の国際交流関係の非営利財団の創業者と話したことがある。この財団は毎年、アジア諸国と日本の中学・高校生の交流を促進するために、双方の交換留学を希望する学生に奨学金を供与している。両国から毎年約10人の生徒を選んでいる。

創業者氏によると、アジアから日本への留学は毎年、対象者を選ぶのに苦労するほど応募が多い。しかし、日本の中学・高校生でアジアへの留学を希望する人はほとんどいない。アジア諸国への留学資金を出してくれるというのに、応募がまったくない年も珍しくないのだという。これには筆者は驚いた。しかも、近年に始まったことではないという。

担任教諭が留学を止める

実は「希望者がいない」というのは語弊がある。

日本の中学生や高校生の中にも、アジアに関心を持つ生徒はいるのだが、学力が高く、優秀とされる高校であればあるほど、担任の教諭から（！）アジア留学を引き留められるケースが多いのだという。米英などへの留学なら本場の英語を学べるのでまだいいが、アジアに留学しても「高校や大学受験の勉強には何のプラスにもならない」との判断からである。

これを聞いた時には、やり場のない憤りさえ感じた。日本で数少ない好奇心旺盛な高校生がアジアに興味を持ち、その国の言語や文化を学ぼうという意欲を示して人生を開いていこうという時に、こともあろうか担任教諭がその意欲や可能性を平気で摘んでしまうのだ。

その教諭の理屈は、例えば高校生が10カ月間留学すると、日本に戻ってから留年することになり、大学入試が一年遅れて、浪人するのと同じになってしまうからだという。そうだとしても、それの一体何が悪いのか。

中学や高校で留年することは、オーストラリアを含め、欧米では個人の事情でまったく普通に行われている。落第などという悲壮感はまったくない。大袈裟に言っているのではなく、本当にまったくないのだ。それは本人が自由に決めているからだ。

それなのに日本では「一度レールから外れた」という烙印が後々もつきまとう。たかが大卒の学士課程なのに、社会に出てからも、大学に入ったのが「現役か、浪人か」にこだわるという驚くべき横一線の同調意識や圧力が浸透しているのだ。

筆者は以前、シドニーの自宅に、日本の女子高校2年生をホームステイで受け入れたことがある。筆者の娘が通う私立校に留学することになったためだ。1年足らずの留学とはいえ、大学受験を重視しがちな日本の高校生としては先見の明があり、偉いなと思ったものだった。

だが、その女子高生はシドニーの高校でまったく勉強しようとせず、授業ではいつも机に突っ伏して寝てばかりいたので、教師たちが彼女をどうしたものかと頭を抱えていた。筆者の自宅でも、彼女は英語を勉強しようとするどころか、部屋に閉じこもって日本の彼氏と夜中まで電話ばかりしていた。

彼女が日本に帰国してから風の噂で聞いたところ、どうも彼女のいた私立高校は3年になると進学コースへの選抜があったのだが、進学コースから漏れることが確実だった彼女は、翌年の進学コースに入れるよう、「留学」という世間体を整えて留年するのが目的だったらしい。

進学コースでなければ大学に入るのは難しく、かといって留年では格好が悪い。そのためシドニーにはただ1年間滞在することだけが目的で、真面目に勉強する必要などなかったというわけだ。なんという世間体重視の浅ましい考えだろう。生の英語を学べる留学という貴重な体験よりも、世間体のほうが大切だという社会通念が日本にはあるのだ。

一方、日本では逆に、アジアからの留学生が日本の高校に留学するのもひと苦労らしい。日本の高校側には、欧米の留学生ならまだ他の生徒たちの英語力の向上に寄与するところだが、英語がネイティブではないアジア諸国の留学生を受け入れても手間が増えるだけだと考え、彼らを敬遠する雰囲気があるのだという。しかも、国際的な感覚を持ち合わせているはずの英語の教師が特に、アジア人留学生の受け入れに反対するケースが多いようだ。

これらすべて、大学入試という横一線で一斉に行うイベントを日本社会が過大視していることに起因している。また勘ぐるに、白人系の外国人をありがたがる人種的な偏見も見え隠れしている。

たかが18歳程度の若者がどの大学に入ったかなどというのは、人生にとっては極めてわずかな側面でしかない。そこでどんな学問を学んだのか、それを社会でどう生かすのかのほうがよほど大事である。海外から見ると、理解できない日本人の呪縛である。

ビジネスマンでも、日本人は海外を敬遠する

実は日本人が海外を敬遠するのは学生や生徒ばかりではない。ビジネスマンにも同じ傾向がある。オーストラリアにある日系企業の駐在員と話をしていると、最近は海外勤務を希望する若手社員が減っているとよく聞く。

今に始まったことではないが、最近は海外担当部署でさえ希望者がいないという。日本企業は海外に進出しなければ生き残れないと言われて久しいが、日本人ビジネスマンの海外への関心はそれと反比例して低下しているのだ。

海外勤務が好まれない理由としては、海外勤務手当が引き下げられていることや、円安のために海外で昔ほど豊かな生活が保証されていないこと、日本国内の生活が便利になりすぎていて何かと不都合やリスクが多い外国をわざわざ選ばない保守的傾向が横行していること、などが挙げられる。

こうした傾向とは裏腹に、日系企業は海外でも通用する若い国際人材を絶対的に必要としているはずである。

筆者が感じているのは、日本のメーカーが近年、中国企業や韓国企業の後塵を拝するようになったのは、日本が長年にわたり日本の国内市場に固執しすぎて、アジアへの関心が低く、日本人

のアジア人材を育ててこなかったこととあながち無関係ではない、と思っている。

外国やアジアが日本企業にとってますます重要な時代に入っているというのに、日本の教育制度は、英語圏やアジア人材の若者を育てるどころか、日本の生徒にアジアを含めた海外文化や言語に関心を持つ機会をあえて持たせないシステムになっているのだ。そうして育った内向きの若者が、将来の日本を背負うことになる。

国家はどんな人材を育てるべきか

欧米の知識人が日本社会を論じた論文は少なくなく、どれも興味深いが、教育についての論評は、高等教育になればなるほどその評価が共通して惨憺たるものになっている。

例えば、「JAPANESE HIGHER EDUCATION AS MYTH（日本の高等教育という神話）」(Brian J. McVeigh) という論文集がある。その中の「Playing Dumb（無知を装う学生たち）」という章で、「学生たちは小学校から高校と、指導されることばかりに慣れていて、大学に入った頃には自力で学問を切り開くという自主性がまったく身についていない」と痛烈に指摘している。また、「自分の意見や感情を皆の前で表現することは卑しいことと信じている」ともいう。

そこで挙げられた具体例は、欧米の知識人であれば皆、日本の学生たちに感じることばかりだ。

ある日本人の知人は、欧州の大学院で学んだ際の苦い経験を語ってくれた。「自分のシャイな性分や無学を棚に上げているかもしれませんが、われわれ日本人は『自分の意見をしっかり持ち、意見が異なる相手と議論する』という教育を受けてこなかったのだな、ということをまざまざと認識させられました」。与えられたテーマでディベートができず、どうしても貝にならざるを得なかったという。

別の知人女性は、日本人とオーストラリア人の両親を持つハーフで、現在は東京で8歳の子供を育てているが、近くオーストラリアに引っ越そうとしているという。というのも、日本の小学校では先生の言うことをきちんと書き写すことが重要で、ディベートやプレゼンテーションを教えないからだという。オーストラリアでは、小学校1年生から皆の前で好きなことについてプレゼンテーションするのとは対照的だ。先生の言うことをただ書き写すよりも、皆の前できちんとスピーチする能力のほうが社会人としてより重要と見ているわけだ。

逆に、一般的なオーストラリア人の社交界での堂々としたスピーチ力や態度などを見るにつけ、彼らの自信形成に教育が寄与していると思わされる。それは小学校の時点から、国会の議会を模した形式で、与党と野党に分かれてディベートを行う授業が盛り込まれているためでもある。

実際のオーストラリア社会では、どの大学を出たかといった肩書よりも、何を学んだかの内容が重視される。それは元スポーツ選手が引退後に弁護士や会計士などの専門職になるという柔軟性あるキャリア制度にも表れている。

一方で日本の制度は、概して従順ではあるが、外国人どころか日本人同士でも議論さえできず、自己表現が苦手な若者を大量に生産している実態がある。

個性を尊重せず、わずか18歳時点の記憶重視のペーパーテストだけを重視して、どこの大学に入ったかが、一生ついて回るような仕組みになっている。世界の場で貝になってしまう日本人は、大学に入ることが最終目的である教育制度の「たまもの」と言えるだろう。

必要人材の授業料を下げた、オーストラリアの教育改革

日本の教育に言及する際、その対極にあるオーストラリアの教育制度は非常に参考になると思われるのでここで紹介しておこう。

オーストラリアの教育は、各州ごとに制度が異なる面が多い。

例えば最大のニューサウスウェールズ州では、日本の大学入試センター試験に相当する、「HSC」と呼ばれる、大学入学のための統一試験がある。

ただし日本のような一発勝負の試験ではなく、12年生（高校3年生に相当）の1年間で出される宿題や実習なども加味し、多面的に評価される仕組みになっている。HSCの試験科目は、自分が行きたい大学のコースが要求する10単位以上の試験科目を選択する（ちなみに必修科目は2単位の英語のみ。数学は必修ではないので、近年は数学が苦手なオージーが激増しているとして問題になっている）。

日本の大学入試と比べて最も特徴的な点は、試験選択科目の多さだろう。化学や世界史といった通常の科目はもちろん、演劇や音楽、美術や保健体育をはじめ、ホスピタリティー学、宗教学、社会福祉学など、実に100科目以上にわたる多彩な科目から試験科目を選べる仕組みになっている。外国語なら当然日本語もある。これにより、幅広い生徒の個性や生い立ちを、学業選択で生かせる仕組みになっているのだ。

科目数が格段に少なく、記憶力重視型の入試制度となっている日本の教育制度とは対照的だろう。

さらに、オーストラリアは2021年に「教育制度改革」を実施している。その中で非常に興味深いのは、学部別に大学の学費を全面的に見直したことだ。オーストラリアに将来必要とされるエンジニアや農業などの選考科目の授業料を引き下げ、人文系の科目を逆に引き上げたのだ。これはまさに「国が将来どんな人材を育てていくのか」という国づくりの方向を示すものと言える。

それによると、例えば、学費が最も安くなるのは数学や農業専攻の学生で、現在の年間9698豪ドル（約71万円）から3700豪ドルと約60％も安くなった。また、教育や看護、英語、臨床心理学を専攻する学生の学費は同3700豪ドルと46％、エンジニアリングやサイエンスなども21％それぞれ安くなった。

これに対して逆に授業料が高くなったのは、人文学や社会・文化、コミュニケーション専攻で、学費は同1万4500豪ドルと、113％も上昇。また法律や経済、経営、商業の学費も28％引き上げられた。なんと文学部の学費が、医学部生の学費を上回るケースもある。

当時のテハン教育相は、「就職機会に関連した学科を専攻するインセンティブを高めることで、学生の就職を支援する」と説明していた。

確かに、国が重視する科目に誘導するようなインセンティブを与えることによって、学生はそうした重点科目に間違いなく流れることになる。これは即ち、政府が描く国の将来像の方向性に若者を導いているということだろう。

豪連邦議会の貿易・投資促進委員会は近年、サービス輸出機会に関するリポートを発表している。そのリポートでも、「オーストラリアは輸出立国であり、今後は保健、IT、金融といったサービス業で輸出の可能性が高まっている。……それなのに、オーストラリアはそうした分野の高等教育では海外からの学生に依存していることが露呈した」として、自国の学生が、国が将来必要とする業種スキルを学ぶことを奨励すべきだと提言している。

文系学生ばかりの日本

実は日本でもかつて似たような議論があった。

文部科学省が2015年に出した国立大学の組織見直し通知に関する議論である。この通知は、特に人文・社会科学系学部・大学院については、「18歳人口の減少や人材需要を踏まえ、組織の廃止や社会的要請の高い分野への転換」を求めた。まさに、オーストラリアが計画していることと同じものだった。

だが社会の反応は正反対だった。日本の新聞メディアが、「国立大で文系学部が廃止される」などと扇動的に報じたため、人文系の教員たちから「人文・社会系の軽視だ」などと強い不満が噴出し、文科省も「本意が伝わらなかっただけで、人文・社会系を軽視する意図はまったくない」などと火消しに追われた。実際、同年度までの人文・社会科学系の科学研究費助成額は4年前に比べて増加していた。

経団連も大学改革を提言したものの……

だが、それは果たして文科省が火消しに奔走するほど、おかしな主張だったのだろうか。国公立・私立合わせた日本の大学生の文系と理系の割合は、だいたい2対1とされる。日本では文系学生が理系学生の2倍もいる印象だ。

しかも日本の大学では、多くの大学が設置していて非常にメジャーだが、不可解な学部がある。文学部の存在だ。それも大抵、英米文学科、フランス文学科、ドイツ文学科などが揃っている。文学という学問分野自体には当然ながらまったく問題はないのだが、日本の相当割合の学生たちが、大学という高等教育機関で、国文学やシェークスピア、シャルル・ボードレールなどを4年間勉強して一体どうするのだろう。

文学部のカリキュラムは大抵、「文学を通して、その国の文化や時代背景、作者の思想を探る」などとしているが、事実上、英語やフランス語、ドイツ語を浅く勉強する語学専門学校に過ぎない。○○外国語大学などという名前の大学も多い。要するに、大学と銘打っておきながら単なる語学学校と変わりがなく、「大学」を出たからといってその語学のエキスパートになるわけでもない。

そうであるなら、語学は外国に留学するのが一番効率的だろう。日本で、英語も話せない教授に日本語で英文学の退屈な講義を受けるよりも、早ければ中学、高校から留学すれば、日本で大学を卒業するころには、ネイティブに近い語学力が身についている。筆者が日本の中学生なら絶対にそうするに違いない。

だがそれをする日本人が極めて少ないのは、「大学の名前」という、日本でしか通用しない無益な付加価値を身につけたいのだろう。実際の語学力よりも、社会の仕組みがそれを重視しているからだ。

実際、文学部や外国語学部を卒業した学生は、必ずしもそうした文学や外国と関わる仕事に就職するわけではない。むしろ圧倒的に多くの学生は、まったく関係がない仕事に就いている。

要するに4年間、モラトリアム的に趣味を学ぶ機会を与えられていたに過ぎない。日本の大学には、そうした無益な文系学部が非常に多い。

経済産業省は、２０３０年には日本で約80万人のＩＴ人材が不足すると推計している。ＩＴ人材の育成や確保は、国家運営上の喫緊の課題である。国家がどんな人材を育てていくか、というのは政治や行政の役割だが、これもおそらくは日本特有の既得権益の問題などがあり、なかなか是正できないのではないかと推測している。

日本はオーストラリアと同じく輸出国だが、地下資源がない点がまったく異なる。輸出は自動車や半導体などの電子部品、エンジン機器などが主流の技術大国である。それなのに昔から、日本は技術者が圧倒的に足りないと言われてきた。さらに今後、ＡＩなどの技術が社会に浸透し、ますます理系分野の必要性が高まっていくというのに、日本はいまだに、文系の素人社会人を量産しているのだ。

さすがに現場となる産業界では危機感が高まったのか、経団連が２０１８年に「大学改革に関する提言」を行っていた。人口減少社会や労働力不足という時代に直面して、「護送船団方式の大学行政を見直す必要がある」などと主張した。

この提言には筆者も同意できる部分はあるものの、「人文社会科学系教育の強化」などとさえ謳っており、日本の教育問題の本質を理解していないように思われた。

というのも、何度も言うが、日本では欧米と根本的に異なり、どんな仕事をするために大学で何を学ぶかということよりも、「聞こえのいい大学（それは必ずしも『中身のある大学』と同義ではない）に入ること」が一流企業への就職条件になっているから若者は大学に行くのであり、特に文系学部は、高次教育を受けるために行くわけではない。入学して「一般教養」などという勉強をして2年もすれば、早くも就職活動を始める学生も多い。

日本人学生にとって重要なのは「大学入試」であり、「大学の授業」ではない。海外の大学生と比べ、日本人の大学生の専門性に欠ける幼さはそこに起因する。

自国が必要とする人材不足に直面して、直ちに教育改革を図るべきは、オーストラリアよりもむしろ日本だろう。膨大な国家予算を投入して育てる大学生が幼いままでは、日本の将来を憂えるほかない。

大手商社の人事部長でさえ……

筆者の知人で、中国に生まれて中学生の時に日本に渡り、東京大学を卒業して日本に帰化した優秀な人がいる。

彼の日本に関する洞察は興味深いものだ。彼によると、大学時代の彼の友人の中国人たちは、日本の大学を卒業すると、多くが日本に残らず、米国などに渡ってしまうという。

彼自身もその一人で、オーストラリアに渡ってきた。実は東大卒業後、日本の大手商社に内定したものの、あえてそれを蹴って、オーストラリアにゼロから仕事を探しに来た。学生時代にシドニーの大学に留学して、オーストラリアが気に入ったからだという。

中国人に限らず、外国からの留学生がせっかく日本で学んだにもかかわらず、日本での就職を選ばないという傾向は今に始まったことではない。しかしながら、日本で学んだ外国人留学生がなぜ日本に居続けないのかということは、日本にとって大問題であることに、日本政府は気がついていない。

日本贔屓（びいき）でもある彼は、「日本人は一人ひとりは優しい人が多いが、社会全体となると閉鎖的で住みづらい雰囲気がある」と話す。居心地よく住むためには、厳然とした日本人でなければ受け入れられないような空気があるのだという。日本国籍も取りにくい。それらを嫌って、中国人留学生たちは日本からアメリカに渡っていく。彼はそれを寂しく眺めてきたと話す。

日本は、オーストラリアや米国と比べて、政府や民間を合わせ、はるかに多くの奨学金を用意し、多くの中国人学生がそれを享受している。

ところが、それを受けて日本の大学を卒業した中国人学生たちが、日本に関わらなくなる。ということは、そうした奨学金は長期的には日本社会には貢献していない、優秀な海外の人材を日本社会に登用できなかった、ということである。

実は、先の彼が大手商社の内定を蹴ったのには、もう一つ理由がある。

商社に内定後、本社の人事部長に「長年日本に住んで日本文化を理解した君なら、わが社の社風にも合って、中国本土の現地従業員との橋渡し役をやってくれると期待した」と、採用の理由を明かされ、ショックを受けたのだという。

このコメントに何か違和感を感じるだろうか。日本人が聞けば、理解ある人事部長だな、とでも思うに過ぎないのではないか。

だが彼にしてみれば、会社はあくまで彼が日本寄りだったから採用したということであり、彼の中国のアイデンティティーは日本に同化しなければならない、という大前提を感じたという。中国のアイデンティティーを彼の個性として受け入れているわけではないのだ。

ダイバーシティーを掲げる日本の大企業が、「これからもっと国際化しようと中国出身の彼を採用した」のではなく、「日本企業のドメスティックで閉鎖的な社風に合うような、日本人寄りの外国人留学生だけを採用した」という真相を知ってショックを受けたという。

これでは、そのままその大手商社に入っても、日本人の枠組みの中には入れず、いつまでも外国人というレッテルは付いて回ることになるだろう。外国人を受け入れるということは、その風習も文化も精神面までも受け入れる、ということだろう。日本人になりきるために、外国出身者がそのアイデンティティーや個性を消し去る必要はないはずだ。

彼は「海外ビジネスに最も関わる大手商社で、しかも多彩な外国人を採用する人事部長でさえそうなのだから、日本企業の社風、日本社会はなかなか変わらないのだなと感じました」と話していた。

奇妙な日本の「学歴」

日本の社会は、肩書が重要だ。中でも、どこの大学を出たかというのは極めて重要な肩書だ。決して「何を学んだか」「どんな資格や学位を取ったか」ではない。それが日本人にとっての「学歴」と言うらしい。そして、死ぬまでその肩書を後生大事に、肌身離さず抱え続ける。日本人全体が、陳腐な「学歴」信仰に洗脳されている。

もし日本人がオーストラリアや欧米の大人に、あなたはどこの大学を出たのかと聞いたなら、一体何の意図で聞くのかとポカンとされるはずだ。

筆者は時に、仕事の関係者から別の日本人を紹介されることがあるが、その時によく「彼（もしくは彼女）は○○大学を出た優秀な人で……」などと言われた。「○○の資格を持つ人で」とか「○○を学んだ人で」と言われるなら納得できるが、たかが18歳時点の試験で入った大学名だけを重視する文化は理解しがたい。

しかも日本では、高校生の時点で、その本人がどんな特性があるのか、どんな職業に向いているのかを本人に見極めさせる教育をしていない。大学に行くのであれば、「偏差値」という、やはり日本でしか通用しない基準で、あいまいに受ける大学を決めているのが大半だろう。決して、あの大学なら、あの技術や知識が身に付くから決めたというわけでもない。

また、日本の新聞もその洗脳を強化する片棒を担いでいる。新聞紙面で人物紹介の記事があると、例えばその人物が有名大学を卒業していれば、「東京大学を卒業した後……」などときちんと大学名を記す。そうでなければ「大学を卒業後……」などとぼかして書いている。有名ではない大学を出たら書くに値しない、と言外に記しているのだ。

そして、もちろん官僚の世界でも確固とした学閥はある。東京大学法学部を出ていなければ、キャリア官僚の間では肩身が狭い。民間企業でも古い体質の業界には学閥はある。学生の就職では、そもそも大学名だけで篩（ふるい）にかけられる。こうした動かしがたい社会システムがあるために、親は子供の受験勉強に血眼になる。海外留学などという、日本の社会システムでは無意味なことに自己投資する意味はないと信じているのだ。

「聞こえのいい大学」に入学できればいい。外国語をマスターできなくても、日本社会では関係ないから構わない。

日本人が抱える最も大きな洗脳の一つが、日本の大学制度の誤謬であり、そこに経済や社会の既得権益の源があるといっても過言ではない。従順だが無気力で、外国に関心がなく、海外に行こうともしない。日本はそうした若者を量産している。

日本の社会の状況を変えるには、大学の入試制度を改革することが必須だと思われる。そのためには、先に紹介したオーストラリアの教育制度を参考にすべきだ。

だがこの日本の社会システムの体制側が、まぎれもなく大学名を重視するシステムの既得権益の恩恵にあずかっている層であるため、このシステムを変えるのは至難の業となっている。

「クール・ジャパン」ならぬ「スクール・ジャパン」

変えるのが難しいのは、実は官僚機関の「キャリア制度」があるのも理由の一つだ。採用時の試験区分によって選抜された、キャリアと呼ばれる幹部候補生は、その他の職員（ノンキャリア）と区別して一律に人事管理が行われる。その職務と役割分担の違いは歴然としており、キャリアは非常に早く昇進し、省庁幹部ポストをほぼ独占する仕組みになっている。

例えば先の外務省で言うと、「総領事」や「大使」の立場の外交官では、キャリアではなくても非常に優秀な外交官はいたし、逆にキャリアの総領事や大使でも能力に疑問符が付くような外交官は多かった。外務省に限らずどの省でも同じだが、能力本位、人物本位という本来の基準から完全に逸脱している制度だ。

筆者は日本のこうした側面について、「クール・ジャパン」ならぬ「スクール・ジャパン」と呼んでいる。

18～22歳程度の時のペーパー試験だけを重視した、学校という価値観に縛られた社会であるからだ。圧倒的大多数、ほとんどすべての学生が、社会が決めてくれた大学の偏差値ランキングや企業ランキングに沿って志望を決め、社会人もその延長で、テレビや新聞が決めた流行や価値観というレールに沿って生きる。

社会で生かす能力の種類は無数にあるというのに、教師が黒板に書くのをただ書き写すことだけを重視した、学校の拡大版のような社会になっている。

圧倒的大多数の人は、不安や孤独感から逃れようとして、社会通念や権威に依存して生きる。自分自身で決めるのは怖いので、権威あるだれかに指針を与えてもらうのに慣らされている。つまり多くの日本人は、自由から逃れようとする傾向を持つ。これが所謂(いわゆる)、「自由からの逃走」(エーリッヒ・フロム)だ。日本人は、大きな国家権力や組織に依存し、あえて自由を放棄する道を選んできたのだ。

しかしながら、日本の制度変更の手綱を握っているのは、まぎれもなくこのキャリア官僚たちである。変えねばならないのに変えられない。この制度こそ、日本人が持つ呪縛に見える。

第3章

丁寧、親切、そして傲慢症候群

頭を下げるか、胸を張るか

日本でパソコンを購入した際、外箱にこんなフレーズが記載されていた。

「このたびは当商品をお選びいただき、誠にありがとうございます」。日本のメーカーらしい、謝辞のフレーズだ。ところが、その下には英語訳があり「おや?」と思わされた。

「Congratulation on your selection of this product !（当社の商品を購入できておめでとう!）」と書いてあったからだ。謝辞がいつのまにか祝辞に入れ替わっているではないか。

要するに、前者は購入者に頭を下げているが、後者は胸を張っている、といった風だ。同じメーカーのまったく同じ商品なのに、日本人と外国人の客への態度の違いを如実に示しているようで興味深かった。

これに関して、筆者の知る日本人の若者が、オーストラリアで体験した話を思い出した。彼はワーキングホリデーでオーストラリアに来て、イタリアンレストランでウエイターとして働いていた。

その男性は日本でなら当然するように、「お客様」を神様のように扱い、丁重に接客していたところ、オーストラリア人店長から怒られたという。店長曰く、「お前の態度は卑屈すぎる。おれたちはそんなに見下げたものを客に出しているのか? そうではないだろう。もっと自信を持った態度で客に接しろ」。

頭を下げるか、胸を張るか――。この態度の違い。たとえ同じ料理（商品）であっても、ウエイター（もしくはメーカー）がどう振る舞うかは、客（市場）の性質によるので、どちらが正しいということはないかもしれない。

だが、日本以外の国では、ウエイターが過剰に丁寧に振る舞うということはない。

筆者は日本の状況が精神病理学のある状況に関係していると感じている。それは「ヒュブリス・シンドローム」というもので、「傲慢症候群」とも呼ばれる。

実際に日本では、「神様として扱われるお客」が店員に対して横暴に振る舞ったり、商品に過剰なクレームをつけるケースが相次ぎ、社会問題になっている。そうした事件のピークは過ぎ去っても、日本社会の土台に根差すそうした観念は無くならないだろう。

そのシンドロームの人は、相手を見下して、相手を自分の思い通りに動かそうとする。自分だけは特別だという特権意識が強い一方、序列に敏感で、自分より立場が弱い人には傲慢である。それでいて、立場が上の人には礼儀正しく振る舞うというのが特徴である。

客が小売店側に横暴な要求をするといった例だけではない。会社が明らかに立場の弱い取引先に過度な要求をしたり、会社の上司が部下に対して横暴に振る舞ったりする、というものも特徴だ。

企業や学校で蔓延する傲慢症候群

興味深いのは、日本ではこのシンドロームが社会全体に顕著に見られる点である。しかも特定の人間がというよりも、あらゆる人々が、社会の場面に応じて、加害者になったり被害者になったりする。それは「相手を察する」ことが美徳になっている日本の文化とも関係している。

相手の機嫌を取ったり、わがままを聞いてばかりいると、相手が「赤ちゃん返り」する傾向がある。言葉ができない赤ちゃんのように、泣いてヒステリーを起こすような態度で分かってもらおうとする。対話でのコミュニケーションをしない結果、相手は傲慢な人間になってしまうのだ。

これは現在でも、日本の中年以降の夫婦間でよくみられる関係だろう。夫が威張り、妻が何でも我慢して仕えるという関係だ。

会社社会にもある。ワンマン経営の中小企業の社長や、上場企業の会長などが、傲慢症候群に陥るケースは多い。家でも会社でも、どこに行っても、周囲が赤ちゃんを扱うように対応してくれる生活になっている。

筆者がアジア各国で経験した、日本の役所や大企業の対応で、次のような噴飯物の話もある。

◆ある日本の大企業の海外現地法人に、本社の社長が叱咤激励するため出張してきた。海外法人の従業員には、日本からの駐在員だけでなく現地採用の日本人もおり、事務所総出で出迎えた。会長は一人ひとりに挨拶したが、現地採用の日本人に対しては無視して素通りした。

◆海外出張してくる局長クラスの幹部のために、日本人所長は、1カ月以上前から、出張日と同じ日の過去5年間の天候と気温を調べて統計にまとめ、当日の天気を予測。予約した現地の高級ホテルに頼み込んで眺望のいい特定の部屋を確保。日当たりなどを確認するために事前に部屋を視察し、ミネラルウォーターなどの生活備品を特別に置かせてもらっていた。

◆海外出張した本社の社長ら一行が入った現地のレストランで、社長秘書らの取り巻きが、現地ウエイターらを指示し始めた。それでも彼らの手際に業を煮やし、ウエイターに代わって社長のテーブルを秘書らが給仕し始め、レストランを唖然とさせた。

◆海外出張に来た大手企業の社長が、海外出張を終えて現地の空港に向かうため、社員らが見送った。その際、全員が一斉に腰を45度にまげて、車が見えなくなるまでそのまま静止。ただしある社員の礼の角度が浅く、顔を上げるのも早かったことをバックミラーで見られてしまい、数日後に降格になった。

◆ある大会社の会議では通常、なぜか参加者は鉛筆を使うルールがあったが、ある社員は鉛筆を忘れたために異動処分になった。

ここで挙げたような、日本の民間企業の社長や省庁の幹部の出張話に関する笑い話のような実話は、本当に数えきれないほどある。日本人が、一企業や役人の幹部に対して、まるで首相か大臣といったＶＩＰをもてなすように扱うのは、外国でも失笑されている。

民間企業なら笑い話で済むかもしれないが、教育現場でも見られるとなると大きな問題だ。学校の教師は「先生」と呼ばれ、生徒に対して「傲慢症候群」に陥りやすい。例えば、小学校から大学に至るまで、スパルタ式のスポーツ教育は日本独特のものである（最近は一部の元スポーツ選手の呼びかけで見直されつつあるものの、ヒュブリス・シンドロームは日本の社会全体に巣くっている以上、なかなか修正されないだろう）。また、日本の親は子に対して優位な立場にある。これらは後で詳しく述べることにしよう。

格下とされる立場の人間は、相手の横暴に対して押し返せばいいところを、従順に振る舞ってしまうのでバランスが取れてしまっているのが日本の特徴である。

それで思い出すエピソードがある。

筆者がシドニーの体育館で地元バレーボールチームの練習を見ていた時のことだ。その初老のコーチと立ち話をしていると、彼は30年以上も昔の、オーストラリアのナショナルチームの選手だったときの話をしてくれた。

ある日、シドニーで女子バレーボールの国際試合が行われ、日本代表チームの練習光景には、度肝を抜かれたそうだ。当時、日本の女子バレーは世界でトップクラスだった。日本人男性のコーチが、ミスをした女子選手を平手打ちし、怒鳴り散らしており、選手たちは反発するどころか不平さえ言わず、熱心に練習し続ける光景があったからである。これはいまだに強烈な印象として残っている、と彼は言っていた。

日本のかつてのスポーツ界は、すさまじいレベルでヒュブリス・シンドロームに侵された世界だったのだ。

楽しんでやらない日本の部活

米国でも近年、ラトガース大学男子バスケ部での行き過ぎた指導が報じられたことがある。そのコーチは、興奮して選手たちに罵声を浴びせたり、ボールを選手に投げつけたりして全米のニュースになったが、同大学はそれが判明した直後にこのコーチを解雇していた。米国ではその程度のケースで全国規模の問題になるわけだ。

日本では、２０１２年末に大阪市立桜宮高校バスケ部のキャプテンだった男子生徒（当時17歳）が体罰を苦にして自殺したという痛ましい事件もある。日本のプロスポーツ界でも近年、大相撲や全日本の女子柔道界、プロ野球などで暴力に近い体罰があった。

そうしたニュースは日本中を震撼させたし、世界にも発信された。その時、全公立中学・高校にも、県教育委員会から体罰の有無について聞き取り調査があったのだが、体罰の問題はないとしてまったく話題にさえ上らなかった。それにより洗い出された問題校もあったそうだ。

日本ではその後、暴力に近い体罰は確かに減ったが、「言葉による暴力」は生き残っているようだ。

それに関わる話は、筆者の身近にもある。筆者は、当時中学生になる娘を、日本の公立中学に体験入学させたことがある。これは娘にとっても、筆者にとっても非常に大きなカルチャーショックだった。

我が娘のエマ（仮名）はバスケットボールが大好きで、シドニーの私立中学でもクラブに所属しているほか、地区代表チームにも入っている。日本の公立中学に入ったら、バスケ部にも体験入学したいと、楽しみにしていた。

中学のクラスは和気あいあいとしていたので、娘も気に入っていた。エマが体験入学している期間はクラスの雰囲気がずいぶん明るくなった、と担任の先生からも後で聞いた。

だが驚くことも多かった。年次が1年違うだけで「後輩」は「先輩」に敬語を使い、尊重せねばならないことだ。先輩がどんな人でも、廊下で会うと「センパイ！」とお辞儀をして敬意を払う。娘は「人格的に優れた偉人でもないのに、どうしてそんな態度で接しないといけないの？」と心底いぶかっていた。

最も驚いたのは、楽しみにしていたはずのバスケットボール部だった。エマが部活の練習後、浮かない顔で帰宅したので事情を聞くと、バスケ部のコーチがチームの部員たちを毎日罵倒するのでウンザリするのだという。筆者は、ああこれが日本に巣食うスポーツ指導文化だな、とすぐに理解した。

休日に近隣地区の公立中学校８校のチームによる対抗試合があったので、友人夫妻が娘を迎えに行ってくれたのだが、最後の数試合がまだ体育館で行われていたので２階からこっそり見ていると、８チームの監督全員が、自チームの選手たちを鼓舞するのではなく、罵倒している。試合中にコートの中央にまで入ってきて選手の叱責を始めるコーチもいる。すべてのコーチが同じようなタイプだった、という。

「許し難かったのは、バカとかマヌケといった下劣な罵倒になっていたこと。試合後にエマのチームは選手５人中３人が泣いており、ある負けたチームは１時間ほど１人の選手が罵倒され、晒しものになっていた」と言う。

ただ怒鳴るだけでは選手が萎縮し、ミスをしないようにだけ動き、のびのびとプレーしなくなる。「コーチング手法としても欠陥があるのは明らかだし、そもそも女子生徒たちの人権を無視している」と嘆いていた。

男性教師が部活の練習中に怒鳴る、わめくは日常茶飯事だったそうで、その教師は「俺の言うことが聞けないなら、お前たち勝手に楽しんでバスケやっていろ！」と怒鳴って、練習を放棄したことがあるそうだ。これに、わが娘は思わず耳を疑ったそうだ。「え？　バスケは楽しんでやるものじゃなかったの？」

「体罰を容認する親」が9割

オーストラリアに限らず、欧米諸国では、中高生のスポーツで怒鳴りながら教えるということはまずあり得ない。本人のやる気や自主性をそいでしまうからで、ほめながら教えるのが一般的だ。しかもスポーツ教育の優れたコーチング手法は世界中で確立されている。その中に、怒鳴りながら（もしくは叱って）教えるという手法が存在するのは、日本を含めたごく一部だけだ。

オーストラリアにも学校の部活はあるが、試合を楽しむ緩い愛好会のような感じだ。その中で目に留まった選手は、地区の代表チームに選抜され、さらに州の代表チームに選抜されるという仕組みになっている。

学校の教師がクラブのコーチを務めるわけではなく、生徒の親がボランティアでコーチを務めるケースが多い。試合中に熱くなるのは同じかもしれないが、個人の人格を攻撃するような罵倒があれば大問題になるはずだ。

個人的には、オーストラリアはスポーツを含め、教育現場は緩すぎるきらいがあるとは思うものの、それでもプロスポーツ界も地域社会もスポーツ大国として、健全に機能しているのを見ると、やはりスポーツは楽しむことが第一義なのだろうと思わされる。

日本でも最近は、元プロ野球選手の桑田真澄氏や元女子バレーボール選手の益子直美氏などが、日本のスポーツでのスパルタ式コーチングを大いに批判している。

わが娘は、泣いていた当時のチームメートたちに、もっと楽しいバスケがあると伝えたかったと話していた。

言葉の暴力を受けた生徒は通常、その後のことを恐れて苦情を学校に言えない。そんな部活はやめればいいと思うが、友人関係や部活動、学校生活すべてに影響するので怖くてやめられない。

それよりも筆者がさらに驚いたのは、部員の親たち（さすがに全員ではないと思うが）は概して、部活動の担当教師に、言葉も含めて厳しく教えるよう期待している。これには仰天させられた。部活動を通じて、運動だけでなく、子供に対するスパルタ教育まで教師に外部委託しているわけだ。日本では、お互いに共依存の関係にあるというのだ。

日本バスケットボール協会が小学生のチームを対象に行った調査では、チームに「暴力がある」と答えた保護者のうち、そんな環境で「子供が成長している」と回答した保護者が、なんと９割を占めたという。日本には、体罰を容認する保護者が圧倒的多数で存在しているのだ。

傲慢を助長する周囲の人々

精神病理学では、ヒュブリス・シンドロームの人間の周囲には、それを助長させる人間たちがいると指摘される。こうした人々をエネイブラーズ（Enablers）という。もともとは「後援者」

という意味だが、ここでは上の立場の人間に媚びを売ったり、忖度したり、過度な称賛をする人たちのことを意味する。このエネイブラーズが、ヒュブリス・シンドロームの人間の火に薪をくべているようなものなのだ。そして、お互いが共依存の関係になっていく。

ヒュブリス・シンドロームに関しては、教育現場だけでなく、霞が関でも永田町でも、日本のありとあらゆる場面にはびこっている。日本の官僚たちはエネイブラーとなり、与党政治家の無能を助長してしまっている側面がある。日本社会には、さまざまな分野でヒエラルキーが出来上がっており、それが頑なに守られているためだ。

ヒュブリス・シンドロームの相手への対処法として、ここまではできるが、これ以上はできないと境界線を引くことが重要だとされる。つまり日本社会の病理を防ぐには、日本人や社会が個人の尊厳や権利を意識し、エネイブラーズにならないことが肝要だ。

しかしそうは言いながらも、頑丈なヒエラルキーが出来上がった日本社会で、エネイブラーズにならないのは非常に難しい。

「何年に大学や会社、役所に入ったか」は、お互いにヒエラルキーを意識させるのには極めて重要だ。それを守ることで、人間関係や予定調和が保たれているからだ。そしてその仕組みが、日本人から自由な発想や行動を奪い、自分たちの首を真綿で絞めている。

そうした日本の呪縛を解くには、薄っぺらな大学制度を変えることから始めなければならないと感じている。日本は、いきなり政治や行政改革が可能なシステムにはなっていないためだ。

コロナ禍で暴かれた心の闇

オーストラリアは世界の中でも最も人種差別が少ない国の一つだと自負できる。それはさまざまな人種の移民が集まって成り立っている国であることが大きいだろう。だがそれでも、新型コロナウイルスの蔓延といった、社会が不安定にある時に人種差別が表面化したことがある。コロナが流行り出した頃、オーストラリアでは中国系を中心に、アジア系オーストラリア人への人種差別が見られるようになった。

ビクトリア州では２０２０年に、２人組の中国人留学生が市の中心部で暴行される事件が起きた。犯人グループは暴行した際、「中国に帰れ！　コウモリを食べるな！」などと叫んだという。こうした事件は、20年４月の２週間だけで１７０件が報告された。

連邦政府のタッジ移民相（当時）は「悪質で臆病な行為」として糾弾しており、「もしもそうしたケースを見聞きした場合は、すぐ警察に報告してほしい」と国民に呼び掛けていた。

コロナ禍で見えた日本の特異性

やはり新型コロナが流行していた時、日本で車を運転していたら、前の車が隣県のナンバープレートであることに気づいた。だからと言って変わったことはないのだが、その横に何か文言が書かれたシールが貼ってある。信号で一時停車した際に目を凝らすと、「他府県ナンバーですが地元民です」と書いてある。ははぁん、とすぐにピンときた。

これは、一般の外国人には何のことか意味不明だろう。要するに、コロナ禍で他府県を訪れたり、帰省したりする人を非難する日本の風潮に対して、自己防御対策で貼っているわけだ。「私は地元民なので、嫌がらせしないでください」とでも言いたいのだろう。しかもこのシールは、なんと商品になっていてオンラインなどで売られている。

もしも外国人がこのシールの意味を知ったなら、「おもてなしの国」のイメージが壊れ、がっかりさせられるだろう。まるで村八分が残る未開の村に来たかのような気分とでも言うべきか。日本人は、あれば便利だと思う物を商品化することに極めて優れているので、その商魂のほうを称賛すべきかもしれない。だが実際に、そうした嫌がらせの風潮が日本にあるのも事実だ。見えないウイルスに感染する可能性を極力排除しようと不安にさいなまれる姿は、気の毒でさえあるのだが。

さて、日本がやや特異な状況だと思ったのは、同じ国民同士だというのに、コロナに感染した人や感染の疑いがある人へ、ネット上での誹謗中傷や偏見の嵐が起きたことだ。

日本で教育関連の仕事に就く友人が筆者にくれたメールを見て、オーストラリア以上に、日本の実態には背筋を凍らせるものもあると知った。

友人によると、最近では京都産業大学に対する誹謗中傷が特にひどかったという。同大学で、２０２０年3月上旬に欧州旅行に行った学生がコロナに感染し、ゼミの卒業祝賀会でクラスター感染が発生し、70人以上の感染者を出した。その際、感染した女子学生だけでなく、その家族や友人までもターゲットにして激しく中傷する声がネット上に殺到した。その女子学生が、怖くて退院できなくなったり、その父親が同僚の偏見で会社を辞めざるを得なくなったりしたという。

京産大への中傷の中には、「村八分にしろ！」というものがあり、その発想に、妙に腑に落ちるところがあった。村八分は、江戸時代から戦後まで続いた日本特有の地域社会での制裁行為で、弱い立場の特定住民を排斥したり、いじめたりする行為を指す。

そうした反応は、オーストラリアで報道されているコロナを巡る人種差別とはやや異なるだろう。むしろ、土着文化のように根深い、「社会の均衡（調和）を乱すとみなされた者に対する嫌悪感のようなもの」が根にあると思われる。

その嫌悪感を共有しているためか、日本の首相や知事といった首長が、そうした誹謗中傷を、先のタッジ移民相のように「悪質で臆病な行為」と非難する声は聞いたことがない。

ネットでは、同じような被害が全国津々浦々で起きているのが分かる。コロナに感染した児童の名前を教えるよう、その地区の役場に脅迫的な電話が殺到したり、看護師の子供でさえ幼稚園への登園を断られたり、すさまじい狂気のオンパレードだ。友人は、「日本は一体どうなってしまったのか……」と憂えていた。

先走る過剰な自己防衛

そういえばと、思い起こされる筆者の体験もある。

筆者は西日本にある新聞社の支局で働いていた時期があるが、その小さな事務所には支局長とパートの若い女性事務作業員がいた。

筆者の婚約者はその頃、身体を壊して免疫が弱くなり、重い風邪の症状を患った。そのことを、何の気なしにパートの女性に話したことがあった。コロナのパンデミックが起きる30年以上も前の話だ。

ところがその翌日には支局内でその話が知れ渡り、支局長が血相を変えて本当かと尋ねてきた。そして社内規則のファイルまで持ち出して、筆者に病院に行って検査を受けるよう要請してきたのだ。

そういう時には彼らは大抵、「自分はどうなっても構わないのだけど、家族がいるから……」とか「自分はいいのだが妻に感染すると困るので……」などと、自分は気にしない素振りをする。ハンセン病患者の時と同じ根本的な差別観念である。

そういう体験があったので、コロナ禍での日本人の反応は予期していた。

被害者に対する同情よりも自己防衛が先走り、被害者に批判や中傷の矛先が向けられるケースは、近年日本で起きた事件でいくつも思い起こされる。

東日本大震災の後、福島県から避難してきた人々への陰湿な差別やいじめが相次いだり、レイプ被害に遭った女性が逆に猛烈な批判にさらされたり、また大きなものでは、日本政府が国家ぐるみで、ハンセン病を患った人々を家族も含めて差別的政策で苦しめてきたという歴史的な恥辱もある。

また海外の危険地域などで、日本人が事件などに巻き込まれるケースがあるが、「自業自得だ」として、被害者である彼らに対する非難がすさまじいほど炎上するのは、日本特有の反応である。近年では、香港の民主派デモにたまたま巻き込まれた日本人が、ネットで日本人から非難囂々の目に遭っていた。

日本語が堪能で、香港の民主派リーダー的存在だった周庭（アグネス・チョウ）さんはまったくその意味が分からず、非難をやめるようツイッターで嘆願したほどだ。海外では、同じようなケースでは同情を集めるどころか、ヒーロー扱いされるケースもあるというのに、だ。

オーストラリアが、そうした偏見の有無で必ずしも模範国だとは思わないが、参考のために一例を紹介したい。

筆者の娘が通っていたシドニーの公立中学校で、クラスター感染が発生したことがある。そのため学校は封鎖され、授業は直ちにオンラインに切り替えられた。

何人かの感染した生徒の中には、娘が親しい友人の女の子もいた。ところが驚くことに、感染した生徒の家族は食事などに困っているだろうと、同じクラスの父母たちが協力し合って、交代で毎日その家に食事を作って持っていくことになったのだ。

しかも、感染したその女の子が2週間後に完治すると、その子の家で完治祝いのパーティーまでやった。さすがに筆者もそこまでやるかと驚いたものだが、少なくともそこには、その家を忌避するとか、感染した生徒を村八分にするなどという発想は微塵もない。

50年経っても、いじめがなくならない理由

文部科学省の調査によると、2021年の日本の小中高等学校におけるいじめの認知件数は61万5351件と、前年度比で19％増加して過去最多になった。この問題は日本でもう半世紀近く叫ばれている問題だが、一向によくなる気配はなく、いじめの件数も悪化の一途をたどっている。日本社会ではいじめがあまりに無くならないので、損害保険会社が「いじめ保険」まで商品化しているほどだ。保険会社も、日本では「永久に」保護者からの需要があると見込んでいるのだろう。

日本政府は2013年に「いじめ防止対策推進法」を制定している。だが決まったのは「道徳教育の充実」や「いじめ対策に従事する人材確保」といった、学校や行政側の対処案ばかりで、いじめが発生する根本原因や土台を放置している。文科省は「いじめ対策の取組について」と題

する取組表を公開しているが、これも同じで、人や予算ばかり手当てすれば解決するとでも思っているようだ。

筆者は当時、同法の制定で何が変わるのかと憮然とさせられたが、案の定、同法制定以降もいじめ件数は急増している。これまでの対処療法的な対策は奏功しないと証明されているにもかかわらず、文科省はその根本原因に気づいていないのだ。

日本の新聞やテレビ報道などでは、専門家やタレントなどが、「いじめはダメ」とか「いじめは格好悪い」といったキャッチフレーズを繰り返してきたが、今後もいじめ件数は多少の増減を繰り返すことはあっても、効果的に減ることはないだろう。断言できる。

では、日本でのいじめの根本原因は何か。

それは日本の社会や集団で「多様性が認められていない」ことにある。

例えば、容姿に何らかの特徴があったり、性格がおとなしかったり、男性的な女性であったり、女性的な男性であったり、運動や学習の能力が低かったり、さまざまなパーソナリティーがある。それらは個性であり、個性は尊重されるべきだという多様性を良しとする土壌が日本には存在しないのだ。

日本の社会や教育現場では、できるだけ皆と同じであるのがいいという価値観を持たされる。身体的な特徴や人種、文化、食習慣など、多様性を認める価値観が育まれていないのが、いじめ問題の根本にある。

教育現場がそれに気づかないために、身体的な特徴といった外側の部分だけで異端視されていじめが頻発することになる。それでも、教育現場はそれを収める術を持たない。

日本は多様性が極めて乏しく、画一的な社会である。もちろん例外はあるにせよ、大半の教室は日本人ばかりで、文化や家庭環境も似たようなものだろう。同じような人間を量産し、画一的に管理しようとする日本の教育の枠組みの中では、弱者や異端とみなされた子供たちが辛い思いをするだけである。

問題が起きる度に、表面的に学校の教師や偉い人たち、きらびやかなアイドルたちが何度も叫んだところで、子供たちの間で差別心が沸々と湧き上がる土台は残っているのだから、当然いじめはなくなるはずがない。

外国人の立場で日本を内側から見ていると、調和された社会を維持するために、少しでも調和にそぐわないと判断された個人が犠牲になっているかのようである。筆者の周りだけでも、自殺した日本人の知人や友人は3人もいる。

オーストラリアの学校でもいじめはあるが、日本のように社会問題になるほど深刻化しているという報道は見たことがない。テレビや新聞が取り上げないだけではないだろう。むしろ、日本でのいじめ問題がオーストラリアで大きく報じられることは何度もある。

厚生労働省の統計によると、２０２２年の日本人の自殺者は2万１８８１人と3年連続で増加した。過去数年は、コロナの影響で孤独とストレスを抱えた国民は多かったと考えられる。人口10万人当たりの自殺者数（自殺死亡率）は17・5人だった。これは、ピークだった2003年の27・0人から比べると低くなっているが、世界の中では尋常ではない高い数値だ。

何よりも衝撃的なのは、小中高校生の自殺が514人と、初めて500人を超えたことだ。日本人の小中高校生の自殺者は、過去10年間で増加傾向にある。これは、学校で抑圧されたストレスを感じる生徒が増えているものと思われる。

日本の教育現場では、自分らしい感性を表現したり、自分らしく振る舞うことよりも、日本の集団行動で周囲から逸脱しない行動や考え方を強制される圧力がある。

日本の学校では全校生徒の集会は頻繁に行われ、まるで軍隊であるかのように、きちんと整列させられる。小学校や中学校では、「背の順」で整列させられるのがルールだ。本当に軍隊だというなら分かるが（似たようなものかもしれないが）、これは何の合理性もないルールである（背の順でなくても、通常、ステージなどは見えるものだ）。

要するに、全校生徒や児童が集まった時に「見栄えがいい」などという教師側の理屈でそのルールが強制されているのだ。子供たちの理屈ではない。

香港の日本人学校をめぐる出来事

筆者にメールをくれた先の日本人の教育関係の友人によると、例えば学校に知的障がい者の児童がいた場合、自分の子供をその知的障がい児と同じクラスにしないよう学校側に要求する親が多いという。それも同じく、調和を乱すものに対する嫌悪という心理に起因するケースだろう。

筆者なら、是非我が子をその子と同じクラスにしてほしいと頼みたいくらいだ。世の中にはさまざまなバックグラウンドを持つ人間がおり、それを知ることが他人への許容度を高め、人間として成長させてくれるからだ。

筆者が香港で働いていた時のことである。

アメリカ人神父からある日、こんな相談を受けた。「日本人小学校を卒業した知的障がいを持つ女の子が、中学校部への進学を拒否されて困っているので、何とか支援してもらえないか」

女の子の両親は当然、日本人小学校を卒業したので、そのまま中学校にも進学できると思っていた。急にはしごを外されて、その母親は怒り心頭だった。

日本人は誰でも「教育を等しく受ける権利」が憲法で保障されている。この時代に、知的障がいを理由に小学校から中学校への進学を拒否するというのはどういうことだろう。

海外の日本人学校は「私立」だと言うが、日本から教員免許を持つ教師が派遣され、文部科学省の指針に沿ったカリキュラムを導入した学校である。完全な私立というわけでもない。宮城県では以前、旧厚生省障害福祉課長を務めた浅野史郎氏が知事だった際に、極めて重い知的障がいを持つ子供でも普通学校で受け入れるモデル事業を始めて注目されていた。児童や生徒は、多様な境遇を持つ友人たちと学校生活を送ることにこそ意味があるはずだ。

筆者がその女の子に会ってみると、勉強はついていけなくても、学校生活を送れないとはとても思えなかった。その母親は、学校で付き添い人も付けると訴えていた。

このとき学校側は、父親が勤める会社の規模を見ていたフシがある。というのも、その数年前には、日本人学校の理事を務める大手銀行の香港支店長の子供で、同じように知的障がいを持つ子供がいたが、問題なく中学校に進学できていたからである。

ということは、父親が大企業の駐在員だったり、日本人学校の理事なら受け入れられるのか。我ながら公憤に駆られた。

筆者は、日本人学校の理事長を務める大手商社の香港支店長に会って直談判した。理事長を女の子の母親に引き合わせたり、中学校に乗り込んで校長と教頭から話を聞いたりした。今思っても、まったくもってお節介なジャーナリストだと思われたことだろう。

日本人学校との話し合いの過程で、当時の校長と教頭は意外なことを話した。彼らの親もまた障がい者であり、身障者を身内に持つ気持ちは痛いほど分かるという。彼らによると、現在学校には知的障がい者を受け入れる人的体制がなく、やむを得ずの判断だったという。いくつかの誤解もあったようだ。そうして、こちらが振り上げていた矛は、静々と収めねばならなかった。

結局女の子は、香港にある韓国人国際学校に入学し、日本の教育を受ける権利を諦めざるを得なかった。

今から振り返ると、それでもやはり、学校は女の子を受け入れるべきだったという気がする。それが女の子のためでもあり、日本人中学校の他の生徒たちにとっても、障がいを持つ同世代の子に対する心を育む絶好の機会だったからである。

実はもう一つ、この時の顚末を通じて筆者が感じたことがある。その女の子の父親は日本人だったが、母親は中国から日本に帰化した女性だったことだ。そして、日本人学校との交渉は、この母親がほとんど一人で担っており、彼女が孤軍奮闘する様は、日本人離れした「芯がある女性の強さ」を見せていた。

実はこの時、同じように知的障がいを持つ子供を持ち、日本人中学校に断られた別の日本人家庭も複数いたらしい。だがそうした家族の母親は、「今まで学校にはお世話になったから……」などと言って、強く中学校への入学を認めさせようとはしなかったという。

筆者はそこにあらためて、日本人的な「お上に従う」とか「長いものには巻かれろ」といった感覚、そして「現状をただ受け止めて変えようとしない」日本人的な諦めの感覚を見たものだった。

学校を訴えることも可能に

ちょうどこの原稿を書いていた２０２３年10月に、全国紙オーストラリアンにある社会記事が掲載されていたので、思わず目が引き付けられた（10月11日付）。

オーストラリアの王室委員会が、「障がい者の権利に関する国際的な人権項目を国内法に盛り込むよう連邦政府に勧告した」というものだ。オーストラリアには障がい者差別禁止法が既に存在するのだが、さほど効力がなかったとされる。つまりこれが実現すると、障がいを持つ子供が一般の学校に入学できなかったり、学校に障がい者用の施設が整備されていなかった場合、保護者は学校や自治体を訴えることができるようになるというのだ。

また別の勧告では、聾(ろう)学校や盲学校といった養護学校を段階的に廃止すべきだという内容も含まれている。一般の学校に統合すべきだというものだった。

オーストラリアでは車椅子の人や目が不自由な人を街で多く見かけるが、これは障がい者の人権が守られていることを示している。

実際、先の女の子を香港の韓国人学校は何の問題もなく受け入れたし、これがもしオーストラリアでの出来事なら、両親は学校を訴えることができることになる。

オーストラリアの公園には車椅子用の遊具まであり、誰も使わず野ざらしにされている。日本人からすると、そこまでしなくても、ということは多い。だが少なくとも、オーストラリアには過去の反省から、人種や身体障がい者差別を乗り越えた国家を目指すという姿勢があるのは確かだ。

政治や行政のリーダーシップがない日本

日本の場合、何十年も続くいじめの問題は、異質な存在を排除しようとする学校や、多様性の無い社会をまさに反映している。日本の政府や行政は、まったくそのことに気づいていないようである。

そうした社会の意識変革には、政治や行政のリーダーシップが不可欠だが、日本のリーダーは、障がい者差別禁止の旗振り役にならないどころか、その意識さえないということが、日本の一番のネックだと思われる。

インタビュー

「社会を活発化させるダイナミズムを」

メラニー・ブロック（在日豪ＮＺ商工会議所名誉会頭）

在日オーストラリア・ニュージーランド（ＮＺ）商工会議所（ＡＮＺＣＣＪ）の名誉会頭のメラニー・ブロック氏は、オーストラリアン・ファイナンシャル・レビュー（ＡＦＲ）でかつて、日本の社会に関するコラム「Postcard From Tokyo」を書いていた。ブロック氏は日豪関係を促進した功績で、日本の外務大臣表彰を受賞してもいる。混乱を極めたコロナ禍の日本に在住していた経験から、オーストラリア人からの視点で日本社会について語ってもらった。

――メラニーさんはまずどういう経緯で最初に日本に来たのですか。

高校生の時に、交換留学生として青森県に滞在したのが最初です。トータルでは日本滞在は30年になります。最初は東北弁が染みついて、大分なまっていましたね。青森では、標準語のことは「ＮＨＫの言葉」と呼ばれているのです。

その後パースに戻って、日本語の先生に「将来、日本語を使って仕事をしたいのですか?」と聞かれ、「んだべ」と回答したのですが、「だったら今のなまりを直しましょう」と言われ、ハッとしたのを覚えています。

——近年、ＡＮＺＣＣＪの会頭もされました。

オーストラリアなど海外のグルメ食品を輸入する貿易会社を２００３年に日本で起ち上げ、ＡＮＺＣＣＪの農食品委員になったのが始まりです。それから理事や会頭を務め、最後は名誉会頭の職をいただきました。ＡＮＺＣＣＪの会員には大企業もありますが、中小企業が多いという感じです。日本企業に所属するオーストラリア人もいますし、欧米企業に所属するオーストラリア人もいて、活発な活動をしています。

——日本企業がオーストラリアに投資するケースは結構増えていますが、オーストラリア企業の対日投資がさほど増えないのはなぜでしょうか。

やはり言葉の壁があるのでしょう。日本で仕事をするには、いろいろな障壁が出てきます。日本は閉鎖的というよりも、規制が多い国で、仕事を日本でするのは難しいのです。短期で結果が得られ、英語ができるシンガポールのほうがやりやすい。日本に支店を設けるかどうかを検討すると、結局コンテナベースですぐに出荷でき、非常にビジネス環境が整っている中国やシンガポールのほうがいいということになる。日本でのビジネスは、いろいろな人が難しいと言います。オーストラリア企業には、長いスパンで日本投資の利点を見てほしいところなのですが。

——コロナ禍では、オーストラリアは非常にうまく対処しましたが、日本は混乱を極めました。日本に住んでいたオーストラリア人として、日本の対応をどう見ていましたか？

まず日本とオーストラリアでは国民性や社会構造が違うことがあるでしょうね。オーストラリア人は言うことを聞かないので（苦笑）、取り締まって罰金を取って、とやらないとカオスになるのです。その点、日本人は「皆さま外出は自粛してください」と説明して、分かってもらえる。初期の頃は、２６０億円もかけてマスクを配った「アベノマスク」も、高齢者にとっては良かったかもしれません。そして全員に10万円を配りました。ただし、その次に何をすべきかが重要です。本当に苦しんでいる人がどこにいるかを探ることまで素早くできなかったのが残念という気がします。オーストラリアでは就業者支援が幅広く行き渡りました。

それに日本では自殺者が増えました。硬直した組織や行政の仕組みを、緊急時にどうすべきだったか。母子家庭や倒産した企業、学生のメンタルケアなどを含め、何かできたのではないかと思います。

――個人的には、リーダーシップという意味で日本とオーストラリアの政治家は比べものにならないなと感じています。連邦政府に限らず、各州の首相たちは、自分の言葉で状況を毎日説明し、素早く対応しました。政治家としての資質の違いもあるのでは。

批判に聞こえると嫌なのですが、日本政府は大企業寄りなのです。日本政府は、一般の日本人とあまり接点がないのです。一般の人々が苦しんでいることは何なのかに、関心を持ってほしいですね。

オーストラリアでは1日2万～3万人がPCR検査を受けていたのに、当初は日本では検査を受けたくても受けられませんでした。ワクチン接種プログラム実施の必要性を分かっているにもかかわらず、なぜ準備が進まないのかと疑問に思っている外国人は多かったです。

――日本では、コロナにかかった人に対する過剰な嫌悪や差別といった問題もありました。それはどう見ていましたか。

確かにそれはあります。あの頃青森に行った時に、ナンバープレートを隠して来てくださいと言われて驚きました。

日本はあまり外国人がいないので、違う人が来ると身構えてしまう。同じ学校や大学の人で固まり、別の人が来たら排除しようとする。いいことではないかもしれないが、自然なことかもしれないとも思います。

日本は「恥の文化」ですから、コロナにかかった人がいれば「周りの人にご迷惑をおかけする」となる。国民性の違いでしょう。ただ女性1人でコロナにかかって、アパートから外に出られず、うつになって自殺された方もいる。悲しくてたまらなかったです。

一方で、オーストラリアや米国のように、いろいろな民族や言葉をしゃべる人々が一緒に暮らすと平和に暮らせるのかというと、それで平和になっている国はひとつもありません。米国でも人種差別はあるし、オーストラリアにもあります。

それにオーストラリアでも、女性に対する組織的な差別はあります。最近はオーストラリアの国会議事堂の中でさえ、スタッフに対するレイプ事件などもあったほどです。日本も確かに女性差別は根強いですが、オーストラリアだってひどいです。

私は日本に長くお世話になってるので、批判はしますが、できるだけ公平に、言い方や立場も考えて言います。提案する改革が、自分の力でできることかどうかも考えて。

社会構造は変えられませんが、少しメンタルヘルスのケアを受ける状況を普通に作ってほしいなと思います。コロナで、オンラインによる診療ができるようになったのをきっかけに、メンタル面での診療もオンライン診断できるようになればと思っています。

――そのオンラインによるサービスについてですが、日本では行政や教育のデジタル化も遅れています。

マイナンバーが定着していないので、支援金の10万円をすぐに支給できなかったことは残念です。この間、中小企業向けのテレワーク関連支援金を役所に申請したのですが、申請の際に「ホームページ（HP）のコピーを送付してください」と言われたのです。私は「HPのコピーですか？　リンクを送ればいいのではないですか？」と言いましたが、そういう決まりだと。そこで

HPを30ページもコピーして、それを封筒に詰めて郵送したのです（笑）。これはテレワークの支援策ですよ？　このセンスはどうか、と思います。

でも、役所の担当者を責めても仕方がない。では誰が決めているのか。日本の場合、事前の根回しやステークホルダーとの話し合いなどが必要で改革ペースが遅いのです。

しかし日本は、実際にコンセンサスが得られたら、改革のペースは結構早いと思います。デジタル化も、サポートがあれば日本は変わるのが早いと思います。

——この30年間、良くも悪くも、日本が変わったことはどんなことですか？

80年代当時、私のホームステイ先のホストは貿易会社を経営していて、よく欧州などに出かけていました。彼に限らず、結構日本人は当時から、フランス映画を見て、イタリア料理を食べ、海外に興味があり、積極的に海外との触れ合いをしていました。

それに比べ、オーストラリア人は内向的で、海外旅行もしたことがなく、飛行機に乗ったことがない人たちも多かったのです。その代わり、オーストラリアは移民を受け入れ、外国人との関わりができていた。

今、日本の学生は海外に出たくない傾向がある一方で、オーストラリア人は出たくてたまらないのです。この30年間で、随分逆になってしまいました。

それに日本は移民もほとんど受け入れない。また、ほぼ単一民族で高齢化社会になっていく。要するに日本には、自分たちの価値観と違うものを社会に取り込んで、「社会全体を活性化させていくというダイナミズム」がないのです。

オーストラリアに帰ってくると、いろいろな言葉で話している外国人がいる。日本では、日本語しか話されていない。カオスはないかもしれませんが、高齢化社会に向かって老いゆく日本と、若々しいエネルギーに満ちあふれたオーストラリアの違いを痛感します。

——日本の政治家や官僚に対して、日本のための提言はありますか？

私は東北と縁があるので、地方活性化についてはよく意見はしています。地方に移住する人も多くなっています。地方に行けば、シャッター街など、本当に胸を痛める光景によく出合います。日本では、地方出身で東京で働く人が多いですが、東京に来なくてもよくなるような、地方の活性化は大きな課題だと思います。地方創生担当相を務めた石破茂議員などとも話したのですが、地方を活性化させるために、私に協力させてくださいと言っています。

第4章

世界標準からかけ離れた日本の新聞・テレビ

日本の新聞・テレビは世界で異質な存在

日本人からすれば、自分たちが慣れ親しんできた新聞やテレビが、世界から見て異質な存在だと言われれば、不可解に思われるかもしれない。

だがそれは事実だ。もちろん、日本の新聞やテレビが優れている部分は当然あるのだが、日本国内だけで通用する風習や社風が世界的スタンダードを知らないままガラパゴス化しており、日本人の知識意欲の向上や幸福感の向上には役立っていないと言わざるを得ない。

まず、国際NGO「国境なき記者団」（本部パリ）が発表した最新の「報道の自由ランキング」（2023年）を見てみよう。これは、180カ国・地域のメディアの状況を「政治」「経済」「法律」「社会文化」「安全」の5分野を評価してランキング化したものだ。

23年の1位はノルウェー、2位アイルランド、3位デンマーク、4位スウェーデン、5位フィンランドなどと、北欧系が上位を占めているのは例年通りだ。アジア太平洋地域だけで見ると、ニュージーランド（13位）、サモア（19位）、オーストラリア（27位）、台湾（35位）、韓国（47位）などとなっており、日本はなんと68位（22年は71位）だった。G7どころか、台湾や韓国、また東ティモール（10位）やパプアニューギニア（59位）など、多くの発展途上国よりも下位である。

このニュースは毎年発表されるが、新聞各社が大きく取り上げることはない。片隅に小さくランキングだけ載せる程度だ。

《報道の自由ランキング：2023年》

順位	国　名	グローバルスコア
1位	ノルウェー	95.18
2位	アイルランド	89.91
3位	デンマーク	89.48
4位	スウェーデン	88.15
5位	フィンランド	87.94
10位	東ティモール	84.49
13位	ニュージーランド	84.23
19位	サモア	82.15
27位	オーストラリア	78.24
35位	台 湾	75.54
45位	アメリカ	71.22
47位	韓 国	70.83
59位	パプアニューギニア	67.62
68位	日 本（2022年は71位）	63.95
179位	中 国	22.97
180位	北朝鮮	21.72

（出所）国際NGO国境なき記者団の発表

しかし日本のメディアにしか接したことがない日本の人々からすれば、日本の新聞やテレビの一体何が問題なの？　と疑問に思うだろう。

新聞やテレビの番組が政治家を叩くことだってあるし、日本人の記者たちが、為政者からわいろをもらって記事を書くことなどほとんどあり得ないだろう、と。もちろん日本のメディアが政治家や官僚と癒着しているといった、明白な形で問題が見えるわけではない。だが実に巧妙な形で、日本社会を変えまいとする既得権益の社会システムを支援している。

筆者は「政治」と「行政」と「新聞・テレビ」の3者を鉄のトライアングルと呼んでいる。それは、新聞やテレビの内部で働いている日本人も、おそらく気がついてさえいない。

国境なき記者団は、日本の報道に対して次のように言及している。

「議会制民主主義を持つ日本は、報道の自由と多文化共存主義の原則を掲げている。だが、伝統、財界の利益、政治的圧力、男女間の不平等といったことに重きを置くあまり、ジャーナリストが政府の責任を追及するという役割を十分に発揮することができていない」

日本では、読売新聞（約641万部）、朝日新聞（約375万部）を筆頭に、日本経済新聞、毎日新聞、産経新聞という5社の主要メディアグループが、新聞社や放送局を保有している。また日本放送協会（NHK）は、世界で2番目に大きな公共放送局になっていると指摘している。

また、例によって「記者クラブ制度」について言及している。記者クラブによって、上記などの既成の報道機関しか政府行事への参加や政治家へのインタビューが認められないため、記者たちは自己検閲する傾向に陥り、フリーのジャーナリストや外国人記者に対する露骨な差別が厳然として存在する、と指摘している。

40年以上前から問題となっている記者クラブ

特に記者クラブの問題は現在に始まったことではなく、筆者が覚えているだけでも40年以上前から既に、日本のジャーナリズムの問題点として日本内外で指摘されていた。しかし、いまだに記者クラブの閉鎖性はほとんど改善されていないように感じる。

海外メディアや国内から、半世紀近く、日本の報道の自由ランキングが低い元凶とされているのにもかかわらず、大手メディアは改革しようとしていないのだ。

筆者が90年代に、西日本のある県の報道機関で働いていたときのことだ。その県庁には「県政記者クラブ」と称して、大手の全国メディアや地元の新聞社や放送局などが在籍していた。

ある時、東京の中堅業界紙が記者クラブへの入会を希望してきた。そこで記者クラブ各社が集まって総会を開き、その業界紙を入会させるかどうか話し合った。

筆者が驚いたのは、入会に反対する声が圧倒的に多かったことだ。筆者は当時、「彼にも取材の自由があるのでは」と意見を述べたが、反対の声に完全に打ち消されてしまった。紙面では行儀良い論調を展開する背後で、現場では「既得権益の寡占」を崩したくないのだ。

記者クラブは県庁内に一つの部屋があてがわれ、加盟各社のブースと電話が割り当てられていた（それらはすべて無料だった）。さらに記者クラブ担当の若い女性に、やはり無料で新聞記事のコピーなどを頼める。県に関する広報などの情報は、すべて記者クラブの案内ボードに張り出されるし、記者クラブに併設されている部屋で記者会見が行われる。

新しい加盟社が入るということは、その部屋に新たにスペースを設けてブースを提供するなど、便宜を図ることを意味するので、既得権の甘い汁を吸い続けている加盟社は他社の参入を認めたくなかったのだろう。

あご足つきの接待視察

記者クラブの大きな問題は、外国企業や弱小他社、フリージャーナリストらを排斥するだけではない。加盟する記者が往々にして、政府や官僚機構、警察、県庁などの権力側と親しい関係になってしまい、監視役を果たせないことだ。

日本の記者会見では、首相などの権力側を糾弾するような厳しい質問が出るのはまれだ。権力側が持つ予定調和を崩すことになるからである。これは欧米の先進国の記者会見ではまず見られない。

日本の首相や閣僚の記者会見でも、彼らはまず原稿を棒読みするだけだ。そこで記者は彼らが狼狽するような本音を聞きださねばならないのに、日本の記者はその棒読みをただ聞いて、書き写すだけである。しかも記者クラブは、横のつながりもあり、お互いを監視するという機能もある。同じような情報をもらっている手前、他社を出し抜くようなことはしにくい関係にある。

また日本の大手記者クラブ加盟社の記者向けに、外国政府が、接待目的であご足付き（食事代・交通費は先方持ち）の視察旅行に招待することがある。これは外国人記者を自国に招き、好意的なＰＲ報道をしてもらおうという狙いがある。その際に書く記事は通常、「この記事は当局からの招きで訪れたものだ」という注釈を付けるものだが、日本の新聞にはそれがないケースが多い。

２００８年にチベット独立を求めるデモをきっかけに発生したチベット騒乱が収束した後に、中国は外国人記者団をチベットに招いたことがあった。

日本の記者クラブ加盟の新聞やテレビ、通信社の記者らを無料で招いたが、参加した日本人記者らが視察後に作った、メールグループのチャット内容をある筋から見せられ、筆者は憮然とさせられた。まるでチベットへの修学旅行を楽しんだかのような他愛のない会話が並び、チベットの現状に対する真剣な情報交換は微塵も見られなかったからだ。中国側は大成功だったと言えるだろう。

結局、日本の記者クラブは、既得権益を享受する親睦団体に過ぎない。それが権力側には、うまく利用できるツールにもなっている。

海外にもある日本人記者クラブ

またこれは見逃されがちだが、海外の主要国にも日本人特派員だけが入会する日本人記者クラブはある。特に大都市では、日本の大使や総領事などが懇親会を大使公邸などで開いたり、会談したりする場になっている。だがこれもまた、御多分に漏れず、通常は日本の大手既存メディアだけしか入会できない。

アジアのある都市で、それに風穴を開けようとした地場系の日本語メディアの記者から話を聞いたことがある。同メディアは、その国に住んでいる日本人や日本企業向けに展開するメディアで、日本の新聞協会には加盟していない。その記者は、大使館の首席領事と交渉し、日本の大使と記者クラブが毎月開く定期懇談会に入れてもらおうとしたが、日本の大手メディアの駐在記者らから反対が相次いだため、断念を余儀なくされた。

主要国の首都に構える日本大使館は、現地に駐在する大手メディアの日本人記者たちを集めて定期的に懇談会を開催し、夕食や昼食を振る舞うケースがある。もちろんそれは大使や総領事の重要な広報活動の一つでもあるが、そうした情報交換や接待は主に、日本の記者クラブに在籍する大手メディアだけが享受できることになっている。

だが、大手新聞やテレビの記者たちは、大使館や総領事館などの広報活動を取材するケースは少ない。日本に向けて報道するには大使館の広報ネタは小さいためだ。むしろローカルのメディアのほうが、現地在住の日本人のために役立っている場合が多い。

そのため広報の効果という意味では、大使館や総領事館はそうした現地のローカルメディアをこそ重視すべきで、そもそも大使館の広報活動など扱うつもりのない大手新聞やテレビを重視するのは本末転倒だろう。例えば、スペインの駐日大使館が毎月ジャーナリストらとの情報交換会を開くとしたら、スペインの大手新聞やテレビの記者だけを呼ぶだろうか。あり得ない話だ。

大使館としては、日本の外務省に常駐している記者クラブ「霞クラブ」の加盟社（国内の通信・新聞13社とＮＨＫ）を重視し、特派員と昵懇の関係を保ちたいだけだろう。それは広報活動というよりも、万が一の事態があった時に、日本のメディアをコントロールしやすくするためである。

ある国で数年前、こんなことがあった。その国に赴任していた日本人大使が任務を終えて日本に帰任することになり、大使館から現地の日本語メディアの日本人記者に連絡があった。大使が帰任するに当たり、大使のインタビューをしてほしいとのことだった。そのメディアにとっても、大使の独占インタビューは紙面が華やぐので快諾し、大使に合わせてインタビュー日時を決めた。そしてその日の午後、インタビューは無事に終了した。

ところがその翌日、その記者はあることを偶然知って驚いた。大使館はインタビューが行われる直前の昼に、「霞クラブ」に所属する新聞やテレビの特派員たちを、高級日本料理店に呼んで接待していたのだ。現地の日本語メディアの記者にインタビューさせていたのは、その直後だった。

大使館は、大手メディアの特派員には高級日本料理で接待する一方、弱小の日本語メディアは大使館の広報部門のように扱っていた。その記者はさすがに怒って、実施したインタビューを紙面には掲載しないと大使館に通告したという。

ジャーナリストを育てない新聞社の人事採用システム

国境なき記者団はまた、日本のメディア業界について「新聞社とテレビ局が株を持ち合う『クロスオーナーシップ』に対する規制がないため、極端にメディア集中が進み、合計で2000人以上の記者を抱えるような大規模メディア集団が成長している」と指摘する。これもその通りだ。

日本の大手新聞やテレビのジャーナリスト採用は、世界的に見れば異質である。新卒予定の大学4年生のみを対象に、グループの入社試験と面接を一斉に実施し、毎年編集記者の約30人程度を確保する。

これは必ずしも、大学でメディアを専攻していた学生を対象にするわけではない。そうした学生は敬遠される傾向にあり、ペーパー試験と面接、時にはコネだけで判断されることもある。

コネを持つ学生以外にとっては、この入社試験は簡単ではなく、まるで大学入試の共通テストや公務員試験のようなものだ。書く能力を示す小論文はあるが、押し並べてペーパー試験と、その場しのぎの面接に強い若者を選ぶ仕組みになっている。

そしてまず地方の支局に配置され、一般的には警察・司法記者クラブに所属し、事件・事故を扱う警察を担当する。メディア志望とはいえ、大学を卒業したばかりの新人は何も知らず、何も書けないため、記事の書き方の初歩から教え込まれる。地方支局の警察担当者は通常新人が多いため、「少年探偵団」とも揶揄される。

２年目には県政や企業、教育などを担当する場合が多いが、基本的には警察にしろ、県政にしろ、それぞれの分野で記者クラブが存在するので、そこのブースに入り浸っていればネタは広報文やリリースとして自動的に与えられる。記事を書くには、それを単に写したり、確認電話すれば事足りる。

そして約３年程度で別の都道府県に転勤して同じような任務をこなす。２～３カ所異動した後は東京の本社に戻り、政治部や経済部、外信部、文化部などに振り分けられることになる。当然ながら希望部署は考慮されるが、日本の役所のように、まったく希望と関係のない部署に入ることは珍しくない。

そのため興味深いのは、例えば日本の新聞で文化紙面の記事を書くのは、十中八九、入社試験を突破し、地方の都道府県で警察記事を担当し、２～３カ所の都道府県を経て、文化部に所属することになった記者だ。その文化にもともと精通していた専門家や記者が書くわけではない。しかも日本の霞が関や地方の役所のように、数年ごとに担当部署が変わるのが通例だ。事件や事故を担当していた記者が、人事異動で商品市況を書く部署に異動になるということも珍しくない。

また、取材でどんなにスクープを連発したり、優れた記事を書いてきた記者でも、一定の年齢が来るとデスクに回されて、取材をさせてもらえなくなる。そういう人事サークルになっている。民放テレビ局はまた特別な人事制度となっており、ジャーナリストを育てる仕組みにはなっていない。報道記者をしていても、人事異動でまったく関係のない総務などの部署に行くこともある。ジャーナリストではなく、テレビ局員のジェネラリストを養成する仕組みになっている。

先進国のメディアでは、首相や有力政治家を担当するのはそれなりの経験がある名物記者たちとなるが、日本では新人レベルの駆け出し記者が担当する。このこともまた、新聞やテレビが政治にコントロールされやすくなる要因のひとつだろう。

また例えば日本の大手化学メーカーから転身して大手メディアの記者になり、化学や医療分野などの専門記者になったというケースは少ない。横並びで一斉に入社するプロパー人材を重視するためである。

記者が他のライバルメディアに転職するケースは、先進国ならまったく珍しくない。それがキャリア形成のひとつの在り方でもある。企業も専門分野のジャーナリストを起用できるメリットがある。だが、先の理由で日本では非常に少ない。たとえ素人であっても、社内で育成したプロパー人材を重視するためであり、メディア間の「予定調和」を乱したくないためでもある。日本の大手メディアは、ジャーナリズムの内容よりも、社内の人事異動がスムーズに行くことが重要である。

日本の武家社会で、主君の親族やその一門といった「譜代」に対して、疎遠にある家臣を指して「外様」という言い方があるが、まさに日本の社会は、企業や行政、メディアなどの分野においても、自社試験を通った学生をプロパーとして育てて重用し、外部から来た専門家の外様を軽視する（もしくは色眼鏡で見る）傾向がある。

これは、日本社会のさまざまな分野で見られる。先に紹介した公立校の英語教員資格も似ている。どんなに英語が得意であっても、都道府県の教員免許（これは通常、大学入試のようなものだ）を通ったプロパーの教員しか公立学校で英語を教えることはできない。

それは、その組織や業界の利益になっていないのは明らかである。外様の専門家よりも、譜代の素人を重用するということだからだ。

海外の先進国メディアでは、例えば医療やサイエンスに関する記事は専門分野の記者が書くものだ。その記者が、そのメディアの入社試験を突破したかどうかは、まったく関係がない。

日本の新聞の奇妙な紙面構成

日本の新聞は、日本人の老若男女を対象にした雑誌的な構成になっており、その誌面構成は世界の新聞と比べると極めて独特である。通常の一般新聞にある政治・経済・社会・スポーツニュースから、生活情報やお悩み相談・医療相談、人物紹介、晩御飯のレシピ、人気スイーツ紹介、ドラマや映画評論、テレビ欄まであり、さながら「日刊生活雑誌」のようである。これは日本のどの都道府県の主要新聞でも同じ構造だろう。

日本の新聞の場合、「ニュースペーパー」でありながら、実際のニュースは少ない。日本の大手新聞には「朝刊」と「夕刊」があるが、ニュースページはその約半分にとどまる。残り半分は広告だ。これは全国紙、地方紙でもまったくと言っていいほど同じだろう。全国紙であれば、1000人以上の記者が働いているというのに、だ。

朝刊はどの新聞も30ページほどあるが、スポーツニュースを除くと報道記事は半分程度に過ぎない。夕刊の場合は特に少なく、約14ページのうち、実際のニュースは4ページ程度だ。しかも朝刊、夕刊共に、報道というより文化やテレビなどの芸能ニュースばかりだ。新聞なのに、俳優やタレントをことさら持てはやし、テレビのドラマを解説者まで付けて毎日のように大きく紹介する。NHKの大河ドラマ「北条殿の13人」が「待ち遠しい」と書いた、看板コラム「天声人語」まであった。

実はこれも、新聞の最終ページにテレビ欄があることと合わせ、新聞社とテレビ局が株を持ち合う「クロスオーナーシップ」の弊害の一つかもしれない。しかもどの新聞も金太郎あめのように、こうした構成は同じだ。

また新聞にとって、テレビ欄は重要なコンテンツになっている。新聞の中身も、どのドラマや映画が面白いとか、俳優やタレントの紹介記事といった、新聞の読者に、わざわざテレビを見てとテレビ視聴に回流させるような内容の記事が非常に多い。

国際面は１ページしかなく（国際面がない地方紙もある）、純粋なニュースの量は少ない。報道記事を多くすることが、部数にマイナスになるのだろうと思われる。

禁断のクロスオーナーシップ

新聞社がテレビ局と互いの株を持ち合う「クロスオーナーシップ」は、多くの問題を引き起こしているにもかかわらず、一般の日本人にはそれが認識されていない。先進国の多くの国では、クロスオーナーシップは規制されている。

我がオーストラリアでもそうだ。オーストラリア各地の新聞を買収し、英タイムズや米フォックスなども買収した世界的メディア王のルパート・マードック一族が率いるニューズコープ系メディアでさえ、地上波テレビ局をオーストラリアで持っていない。それはテレビ局と新聞社のタッグが、甚大な世論操作を可能にするためで、テレビ局と新聞社がお互いに批判し、監視し合う関係が健全であるという判断のためだ。

もしも新聞社とテレビ局が一体になってしまった場合、言論の論調が統一されてしまい、それはジャーナリズムとして理想的とは言えない。典型的なのが、日本の新聞社が抱える「新聞特殊指定」制度だろう。新聞社は販売会社に対し、地域などにより新聞を違う価格に設定したり、値引きを行うことを禁止するというものだ。これは新聞業界が与えられた特権だが、これが日本の新聞やテレビで議論されることはない。

要するに日本では、テレビと組んだ新聞社ほど広範囲に影響を与えるため、双方のタブーの範囲も広まり、報道を自己検閲する傾向が著しく高まるということだ。

また既存のテレビ局は相応の電波使用料を払っていないため、電波使用権をオークションすることを提唱すべきとの声もある。このことについてテレビや新聞で言及するのはタブーになっているという。

筆者が見る限り、日本政府はあからさまな形で主流メディアに圧力をかけるといった例はないが、「記者クラブ制度」や「新聞特殊指定」、「電波使用権」と言った形で、さらには日本独特の「予定調和」信仰で、新聞やテレビ局側が当局や政府に忖度して、自己検閲の程度を高めているといった感じだろう。

事なかれ主義の報道

日本には、日本も大いに関わるはずの国際問題なのに、傍観するような報道が非常に多い。安全保障、人権、環境などのセンシティブな問題については特にそうだ。

日本の新聞やテレビは、調査報道ではなく、政府当局が発表した報道をそのまま解説や分析を付けずに垂れ流すことに慣れ過ぎている。また特に外国に関しては実におとなしく、「行儀のいい」論調が目立つ。政治家も同様だ。

日本が他国から明らかに横暴で理不尽な対応をされた場合でも、日本のメディアは（もちろん外交も）、無難で行儀のいい意見に終始するのが通例だ。それはある意味で優等生的で日本的だが、場合によってはそれが日本の対応方針だとして外国から舐められるケースが多い。

日本のメディアが相手国をあえて刺激しないように忖度することの例を挙げたい。

きな臭い話だが、アメリカは２０２３年に、自国で開発を進めている長射程極超音速兵器（ＬＲＨＷ）や巡航ミサイル「トマホーク」の地上発射型を含む中距離ミサイルを、日本に配備することを打診したと話題になっていた。

これはもともと、２０１９年８月頃にオーストラリアで浮上した話だ。当時はオーストラリアと中国の政治的対立が激しかった頃で、米国とオーストラリアの外務・防衛担当閣僚による協議

（2プラス2）がシドニーで行われた際に、オーストラリアに中距離ミサイルを配備する話題が出たのだ。

アメリカはこの時オーストラリアに対し、ホルムズ海峡への有志連合の参加以外に、ミサイル配備への協力を示唆したとされる。その2プラス2の会見時の模様が、米国防総省のホームページで一言一句公開されている。

質問者「米国は、アジアで計画する中距離ミサイルをオーストラリアに配備したいのではないでしょうか？　その場合、中国に対する敵意となるリスク、もしくはアジア地域を不安定化させるリスクがありませんか？」

これに対し、当時のポンペオ国務長官とエスパー国防長官は焦点をぼかし、ミサイル配備には触れず、中国とも名指しせずに回答。豪ペイン外相（当時）も「オーストラリアは米国、中国両国と地域の安定に向けて協力していく」などとのみ回答した。だがエスパー長官は先に、中距離ミサイルを近くアジアに配備することを明言していた。

翌日のオーストラリアン紙は、ポンペオ長官が「中国の脅威を前に、オーストラリアがアジア地域で主導的役割を担い、米国と断固たる協力体制を取ることを求めた」とはっきり書いていた。

ポンペオ長官は、アジアでの配備国はまだ決まっていないとしたものの、「米軍基地があるダーウィンなど、オーストラリア北部の可能性も排除しない」と発言したという。

またオーストラリアが華為（ファーウェイ）を5G事業から締め出したことを称賛しつつ、

「さらにできることがある。中国からの経済的報復を恐れる必要はない」などと言及したと、記者会見での慎重な物言いとは異なり、かなり踏み込んで報じている。

エスパー長官にいたっては、債務を押し付ける略奪的な手法で太平洋諸国を支配していく中国のやり方を強く批判。中国を他国の知的財産権を奪う「盗人」呼ばわりしてまで露骨に糾弾した。

これに対して中国は反発。「ミサイルがアジアに配備されれば対抗措置を取る」とし、わざわざ日本とオーストラリア、韓国を名指ししてまで警告した。

ところで、エスパー国防長官はその直後の８月７日に日本も訪れ、岩屋毅防衛相（当時）と会談している。その時、日本にも中距離ミサイル配備の同じ要請をしたと思われる。

だが、オーストラリアでミサイル配備の問題が大きな注目を集め、日本も中国に名指しされたというのに、日本の新聞では驚くことに、中距離ミサイル配備に関する報道は一切なかった。日本が中国に名指しされて警告されたどころか、アメリカに配備を求められたのかということさえ書かれていなかった。まさかとは思うが、本当に日本の新聞は中国に忖度しているのかと思ったものである。

また、新型コロナウイルスで世界的なパンデミックが起きた際には、コロナウイルスに関する情報隠蔽だけでなく、ウイグル問題や香港の民主化運動に対する当局の激しい取り締まりなどに、世界から中国への批判が渦巻いていた。その真っ最中の時期に、朝日新聞は、中国人女性のＬＧＢＴＱについて呑気に書いていた。

日本政府の無策には終始傍観

２０２２年2月、ロシアのウクライナ侵攻に対するロシア制裁が西側諸国で議論され、国際銀行間送金システム「ＳＷＩＦＴ」からロシアを締め出すことも主要7カ国首脳会議（Ｇ7サミット）で議論された。

このサミットの模様を朝日新聞が報じており、各国で温度差があることを伝えている（「強力な金融制裁、温度差　国際送金締め出し、英加前向き・独は慎重」22年2月27日付）。ここで各国の賛否を表付きでまとめているのだが、なぜか日本についての言及はない。「日本」という単語さえ出てこない。Ｇ7メンバー国の報道機関で、自国の態度に言及しない報道などあるのだろうか。日本政府が態度を表明していないのだとしても、新聞側もそれを追及せず、地球の反対側の事件のように傍観したままだ。

「難民受け入れ、割れる判断」（２０２1年8月20日付、朝日新聞）という記事もあった。21年にイスラム主義組織タリバンがアフガニスタンの首都カブールを制圧したことで、アフガン難民をどうするかが先進国間で大きな課題となった。

この時、欧州にはドイツやフランスなど難民受け入れに慎重な国もあったものの、英国とカナダ両政府はそれぞれ2万人を受け入れると発表した。この時、オーストラリアも５０００人以上受け入れている。その一方で、日本が受け入れたのは、現地の日本大使館スタッフの家族など、たった１１４人だけだった。

この朝日新聞の記事も「アフガン難民をめぐる対応」という国別の表まで作っているのに、日本政府の態度にはやはり一切触れていない、いかにも不可解な内容だった。国連難民高等弁務官事務所（ＵＮＨＣＲ）の現地代表が、「彼らを見捨ててはならない」と訴え、女性への人権侵害も報告されているので、強制送還しないよう各国に呼びかけた、というコメントまで紹介しているのに、である。

いや、実は同日付の紙面で、日本政府の対応に関する記事はあった。あったのだが、別の本当に小さいミニ記事で、外務省が、現地の日本大使館現地スタッフに関してのみ、「安全確保を考えていく」とコメントしたとするものだ。要するに広範囲に難民を受け入れるものではなかった。

しかも日本政府は、ウクライナからの避難民に対しては生活費まで支給して受け入れているのに、わずかに受け入れたアフガン難民やシリア難民に対しては同じ扱いをしなかった。

こうした日本政府の傍観者的な態度を追及できるのはメディアだけだろう。朝日新聞は天声人語（２０２１年8月17日付）でその時、日本のことには触れず、「国際社会にできることは何か」と、行儀よく締めている。一体なぜ「日本政府はこうすべきだ」と書かないのだろう。

また23年11月7日付の朝日新聞には、パレスチナ自治区ガザへのイスラエル軍の侵攻で、ガザの死者数が1万人を超えたとするトップ記事が、大々的に掲載された。1面から国際面を含め3ページにもわたった。その中に、欧州各国がイスラエルを強く批判できない事情を解説する記事があったが、なぜか、日本政府が強く批判できないことの解説や、日本政府の対応を促す記事は皆無だった。なぜ、大手新聞やテレビは日本の政府の無策を傍観するだけなのだろう。

オーストラリアの「尚武の精神」

シドニーのスポーツジムに行くと、常時はミュージックビデオが流れるビデオ画面に、興味深い公共広告が時折差し込まれる。国防産業のPR広告だ。オーストラリア政府は2040年までに、国防軍の人員を増強するなど、380億豪ドル（約3兆2300億円）を投じた国防増強計画を持つためだ。

労働党政権は、国防軍の制服組人員を30％増の約8万人とし、国防省の背広組を含めると計10万1000人以上とするというものだ。また国防費を国内総生産（GDP）の2・1％に拡大している。これは、米ソの軍拡競争が盛んだった冷戦時代を上回り、過去最大規模だ。

国防軍人員はオーストラリア全州で増強し、豪米英の安全保障枠組み「AUKUS（オーカス）」に関連した宇宙やサイバー技術、諜報、通信関連の技術者も増員する。また、軍艦数が今後倍増する予定の海軍採用を優先させるという。

さらに総工費約100億豪ドルを投じ、国内東部に原子力潜水艦を配備できる海軍基地の建設も予定している。

興味深いことに、こうしたオーストラリア連邦政府の軍事拡張方針に対し、反発する国内メディアは見当たらない。与党も野党も、国防に関してだけは団結しているかのようである。

国民の意識も同様で、オーストラリア政府は22年3月上旬、ウクライナに食料・医療物資だけでなく、武器供与による支援を明らかにしたが、これに賛同する割合は、なんと82％に上った（AFR読者調査）。

連邦政府はまた、中国がロシアに武器供給や財政支援した場合、同盟国と共に中国に制裁を実施すると公約しているが、これに賛同する割合も69％に上った。

こうした状況を見ると、オーストラリアは伝統的に、かつて日本も持っていた「尚武の精神」を持つ国家であることを示している。

核共有「議論すべきではない」32％

ところが、対照的なのは日本で、毎日新聞の世論調査（22年3月19日）では、ロシアに対する経済制裁について「もっと強い制裁を科すべき」と答えた人は30％に過ぎない。これがオーストラリアでの調査と同じように「（ロシアを支援した場合の）中国への制裁」についてなら、その割合はさらに少なくなるだろう。

日本はウクライナに防弾チョッキなどを提供したが、「もっと積極的な軍事支援を検討すべき」は22%しかいない。オーストラリアの82%とは対照的だ。


さらに、安倍元首相が提議した米国の核兵器を日本で受け入れて共同運用する「核シェアリング」については、「議論すべきだ」は5割を超えたものの、「議論すべきではない」も32%に上った。ANNによる同様の調査でも、「議論の必要はない」が37%に上ったという。岸田文雄首相も「政府として議論することは考えていない」と明確に否定している。

有名無実の題目を唱える日本

世界の問題児で、核大国でもあるロシアと中国、北朝鮮に隣接し、領土問題まで抱えている日本は、核を持つどころか、持ち込むことさえ、タブー視されて議論さえできない。日本は世界各国の方針や現実と、かけ離れていることが分かる。

日本には、実際には米国の原子力潜水艦が毎年50隻以上、横須賀や佐世保などに入港している。核を「持ち込まない」はずの日本は、現実には目を背けたまま、議論もせずに「非核三原則」という有名無実の題目を唱えているだけである。

ロシアのウクライナ侵攻が混迷を極めるにつれ、ウクライナが過去に核を放棄したことがロシアの侵攻を容易にしたことが明確になっている。そこで世界各国は目が覚めたように、自国を取り巻く安全保障を真剣に見直し始めている。

まさにオーストラリアはそうで、軍事体制の再構築や増強を急いでいるわけだ。

特に日米豪印の協力枠組み「クアッド」では弱点も露呈した。インドがロシアとの軍事的関係が深く、対ロシア政策では結束できない形になったことだ。インドは台湾有事があった場合でも首を突っ込んでくることはないのは明らかだ。

オーストラリアでは今後、原子力潜水艦の管理で、原子力産業の人材や技術の育成が急務になる。原子力技術面の協力、原潜の日本寄港や共同演習などといった軍事面で、日本とは特に協調していきたいはずである。

それなのに、日本では核シェアリングの議論さえ忌避する空気が強く、活動制約が多い自衛隊法や武器輸出などの法的整備も遅々として進まない。さらには国会内には、世界の現実を知らない親中派の政治家が厳然として巣くう。

オーストラリア政府は当然、そうした腰が引けた日本の特徴を知っている。そしてそれが、日本との軍事協力が深入りできない要因のひとつになっている。ここでもまた、日本の予定調和信仰が、自分の首を絞めている形なのだ。

日本の新聞の「風刺画」は風刺画ではない

日本とオーストラリアの新聞で最も違う一つに、時事漫画がある。筆者が特に感じるのは、日本の新聞の風刺画の凡庸さである。日本の大抵の新聞に掲載されている風刺画は、ひねりがなく、皮肉が効いていないものが多い。単に政治的な状況を野球などに例えてイラストにした、といったもので存在意義が乏しく、また退屈である。新聞には付きものだから載せている、というつまものに過ぎない。

漫画大国日本として、すばらしいクリエイティブなセンスを発揮する、あの日本人の豊かなセンスはどこにいったのだろう。いざ政治批判に絡むとなると、まったく形無しになってしまうのは痛々しいほどだ。その背景には、政治家を皮肉ることを自己検閲してしまっていることがある。調和を重んじ、波風を立てたくないという空気が蔓延している。

一方で、オーストラリアなど欧米先進国の新聞の風刺画は、読者が赤面するほど露骨に権力を冷やかすような風刺が多い。報道の自由が保証された証拠だろう。例えばオーストラリアでは風刺画は毎日掲載され、時宜にかなった社会的なニュースと絡めて政治家を皮肉ったり、からかったりする。そのセンスは抜群だ。

インタビュー

「オーストラリア政治には寛容がある」

デビッド・ローウィ（時事漫画家）

　全国紙オーストラリアン・ファイナンシャル・レビュー（ＡＦＲ）に毎日掲載される時事漫画家のデビッド・ローウィさんが描く漫画は、オーストラリアに住むビジネスマンであれば誰もが見たことがある。ローウィさんはこれまで、オーストラリア時事漫画家協会の金賞（Gold Stanley）を5回も受賞している。ローウィさんに、仕事の舞台裏について聞いてみた。

――そもそも漫画家になったきっかけは何ですか。

　幼い頃から絵が好きで、画家になりたくて自分で勉強したり、いつも絵を描いていたのです。私はオランダ生まれで、５歳でキャンベラに移住してきました。というのも父がオランダの外交官で、政治に関することはいつも周囲にあり、慣れ親しんでいました。

　まだ学生の頃、キャンベラの新聞「キャンベラタイムズ」に作品を自分でよく送っていたら、次第に時事漫画の仕事をもらえるようになったんです。その後ロンドンにも移り住みましたが、ロンドンは雨ばかり降って好きになれなかったので、オーストラリアに戻ってきたら、私が帰っ

時事漫画家オブザイヤーを受賞したデビッド・ローウィさん

てきたと知ってキャンベラタイムズの編集者が、私をAFRに紹介してくれたのです。

オーストラリアの新聞は、皆カラーを好みます。だいたい一つの作品は、構想の時間を除くと2時間くらいかけますね。

――特定の政治家にきつい風刺を含むケースがよくあります。本人たちからの反発や圧力はあるのですか？

うーん、それはありませんね。

――まったくないとは驚きです。

例えばある政治家が、AFRの政治ジャーナリストに「デビッドに『あまり俺のことを厳しく描かないでくれ』と言っておいてよ」と、ジョーク半分に言うケースはあるようですが（苦笑）。また、現在はスカイニュースのコメンテーターを務めるペタ・クレドリン（アボット政権時代の首相

ＴＰＰの船に乗るターンブル首相が、トランプ大統領をもりで突こうとする安倍首相に「鯨（捕鯨）について話したいんだけど…」とひと言。〈日豪会談を受けて〉

主任補佐官）に会った時にも、彼女のことをかなり揶揄して描いたので気を悪くしているだろうと思ったのですが、本人は「いえそんなことないわよ。気に入ってるわ」と言っていましたね。

スコット・モリソン元首相に会った時も、彼はそんなにシリアスに受け取ってはいませんでした。時事漫画には目くじらを立てないというのが、オーストラリアの政治文化なのです。

――アボット首相への冷やかしの程度は度を越しているように見えます。

米国のトランプ大統領をよく風刺して描きましたが、アボット首相は「オーストラリアのトランプ大統領」のような存在でした。彼は時にあきれるようなことを決めたり、話したりしてきたからです。そういうことをする度に、つつきたくなるのです（苦笑）。

彼の予算案はまったくひどいものでした（※筆者注・アボット政権初の予算案は、過去20年間で最も厳しい緊縮予算として、国内各地で抗議デモが行われた）。あれ以来、チクリ、チクリと針で刺すようにアボット首相を風刺するようになりました。

――ターンブル首相についてはどう思いますか？

やや失望していました。以前は非常に強いリベラルな主張を持っていたのに、首相の地位を守るため、それを押し通すことができなくなりました。

ターンブル氏はもともと、保守の中でもソフトな労働党寄りの側にいたので、労働党寄りのシンパを失望させたのです。かといって、労働党にしてみれば生半可な立場で、保守派の支持者にもアピールできなかった。つまり、死人が歩いているようなレイムダックと化したのです。「スピーチがうまい、弱いリーダー」でした。

――これまでに描いた時事漫画がボツになったことはありますか？

この24年間で1～2回ですが、あります。トイレを描いて、ひどい政治的なメッセージを込めたのですが、それがやりすぎだとしてボツになりましたし、ターンブル首相の件もボツになったことがあります。

――それは編集デスクの政治的意向と関係がありますか？

そうでしょうね。ただし自分で描いていると、例えばＡＦＲ紙なら何が良くて何が悪いという

オーストラリア政府は、銀行業界の相次ぐ不正に関して調査する王立委員会を設置。ただし強欲なブタの４大銀行は痛がるふり。「少なくとも痛がってるようには聞こえるだろ」

センスは分かってきます。それでも、基本的には制限はないです。政治コメンテーターとしてテレビなどに呼ばれることもないですし、極めて自由です。

――ローウィさん個人的には、保守連合派ですか、労働党派ですか？

個人的には、どちらかと言うと労働党寄りでしょうか。労働党の家庭で育ったので。でも政策的には似通っているので、中立と言えるかもしれません。

――ローウィさんの漫画には、時に民間のビジネスマンもからかいの対象としてまな板に載せていますし、地元の４大銀行を４匹のブタとして描くこともあります。問題にならないのですか？

オーストラリアではよくあることで、その程度なら全然問題ないですね。大手

ツイッターを手にしながら、岩のドームを平和のハトでおもちゃにする米トランプ大統領。

銀行なら、もっと人物を特定することもできます。

――フランスの政治週刊紙「シャルリー・エブド」の時事漫画がかつて、イスラム教を冒瀆したとして社会問題になったように、オーストラリアの時事漫画にもタブーはありませんか。

確かに、宗教を汚すといった内容は気を付けないといけませんね。以前、インドとパキスタンの国境紛争の問題についての時事漫画で、ヒンズー教の神のガネーシャが原子力のおもちゃをジャグリングしている、といった漫画を描いたのですが、オーストラリアのインド大使館から反発を受けたことがありました。心情的にはインド寄りのメッセージを含めたのですが、でも問題はその政治的内容ではなくて、神様であるガネーシャを冷やかして描いたこと自体にあったようです。キャンベラの新聞社の編集責任者がインド大使館に謝罪に行っていました。

最近も、トランプ大統領が岩のドーム（※イスラエルのエルサレムにあるイスラム式神殿。イスラム教の聖地のひとつ）に座っている漫画を描きましたが、これはそれほど問題になりませんでした。読者の側にある程度の寛容性がなければ、メッセージは伝わりません。

――逆にＡＦＲからローウィさんへの要請はあるのですか。

バランスを取るように、とは言われています。ただし私の時事漫画の内容から、多くの読者は私を左寄りの労働党シンパの漫画家だと思っているでしょう。でも、労働党が政権を握ったので、私は同じように労働党を批判していますよ。その代わり、政治情勢を日々勉強する必要がありますね。できるだけ多くの新聞を読みます。

――各紙の論調は、ローウィさんの漫画に影響しますか？

それはありませんね。以前、ニューズコープ系であるオーストラリアン紙が時事漫画を描いてほしいと依頼してきたことがあったのですが、私は断りました。右寄りのオーストラリアン紙のためには描きたくないのです。その理由の一つとして、編集者から「これこれ、こういうトーンで描いてほしい」などという条件があったのです。ニューズコープ系メディアは、フェアファクス系よりも編集者が力を持っているのでしょう。私は断って良かったと思っています。何よりも、いい漫画家なら、自分独自のアイディアを生かして描くことに喜びがあるはずですから。

日本の新聞の奇妙な慣習

日本に住む外国人は当然、日本の新聞を読む習慣はないので気がつかないものだが、日本の新聞を手にとって見ると、実に奇妙な慣習があることに気がつく。

日本の新聞は、英語を極力カタカナにする。もしくは、英語をそのまま掲載する場合でも、縦書きにするのだ。例えば、最近見た新聞にはこんな記述があった。

「……中高生の少女を対象にした教育活動『Ｇｉｒｌｓ Ｕｎｌｉｍｉｔｅｄ Ｐｒｏｇｒａｍ』（ＧＵＰ）……」

英語は横書きなのに、なぜアルファベットを「全角で」、しかも「縦書き」にして表記するのか？　これは欧米人どころか、日本人にも見にくいはずだ。英語には縦書きで表記する習慣などない。

しかも日本の新聞やテレビは、明らかに誤訳だと思われる翻訳を掲載しているケースが散見される。例えばよく見られるのは、チベット独立運動のデモでプラカードに「Free Tibet!」とあるのを「自由なチベット！」と書いている。「チベットを解放せよ！」としないと真意が伝わらないし、誤訳に見える。

また、こんな記事もあった。「英紙ガーディアンは5月、温暖化に関する用語を変えた。『気候変動』は『気候危機』や『気候非常事態』、『地球温暖化』は『地球炎暑化』に……」。

　これを読んで、じれったく思わないだろうか。ガーディアンなので英文記事なのだから、『気候変動』が『気候危機』になったと言われても、実際はどう変わったのか日本語で書かれてもまったくピンと来ない。

　また外国政府の要人が話した短い一言を、何でも杓子定規にカタカナにしたり、日本語の単語にして載せるケースが多い。英語の映画のタイトルは、すべてカタカナで羅列されるより、英語も付けてくれたほうが分かりやすい。

　長い文なら当然日本語に訳すべきだが、一言程度なら英語も付けてほしいところだ。例えば、バイデン米大統領が「不愉快だ」と言ったというなら、実際に彼がどう言ったのか分からない。「不愉快だ（that's offensive）」なのか、「不愉快だ（I hate it）」か「不愉快だ（distasteful）」だったのか、不愉快の表現は無数にある。

　新聞記者があえて誤訳を読者から指摘されたくないから伏せているかのようだ。そのくせ、「ホワイト・パワー（白人の力）」など、日本語訳など明らかに不要な時にも、他に訳しようがないほど明らかな場合も杓子定規に訳を付けてくる場合もある。

なぜ、これが全国紙の一面に？

日本のメディアは、海外から見れば、なぜこれが重要なのかと目を疑うようなニュースセンスを持っている。

例えば、大学の入試問題が漏洩したり、カンニングが起きたりといったことは、世界各国で毎年のようにどこかで起きるものだが、筆者が啞然とさせられるのは、日本でこういう〝事件〟が全国規模の大ニュースになることである。

2011年3月の入試時期に、京都大学など4大学の入試問題が試験時間中にインターネットの質問サイト「ヤフー！知恵袋」に投稿されていたことが分かった、というニュースがあった。これが地域警察を巻き込んで日本全国で大騒ぎになった。朝日新聞などは、朝刊の一面に大きなトップ記事として載せていた。その後もメディアは何日も続報を出していたし、地域警察も偽計業務妨害容疑で立件するために大人数を動員していた。

しかしこれは、たかが当時未成年の予備校生が大学入試でカンニングした、というものに過ぎない。一体なぜこれが全国ニュースのトップなのか、筆者は呆れかえった。この時のことをよく覚えているのは、その直後に東日本大震災が起きて、それどころではなくなったからである。

これは思うに、日本人の稚拙な学歴信仰を如実に表していると言える。言ってみれば、「われわれの人生の大切な学歴を決する公正な過程を汚すのは何事か」といった心理である。人生のピークは大学入試にあるという観念を持っているのだ。

例えばオーストラリアを含め、欧米であれば、そうした〝事件〟が起きた場合、大学が問題視して関与した本人らを処罰するとは思うが（どこまで刑事事件になるのかも怪しい）、それは大学側と受験生の問題である。大学の入試それ自体にはさほど重きを置いていない。大学で何を学ぶか、それをどう社会に生かすかが大切であり、人生の大きな舞台は大学卒業後に来る。大学入試をごまかしたところで意味はないという観念がある。

同じように、日本の全国紙はいずれも、大学入学共通テストが行われた翌日に、その試験問題を10ページにわたって掲載する。これは一体何のために掲載するのだろう。需要があるのだろうが、外国人から見ると実に不可解だ。何度も言うが、たかが18〜19歳の大学入試でどんな問題が出たかは、日本社会にとって、どれだけ大きなニュース価値があるというのだろう。大学入試を行う独立行政法人が新聞社の10ページ分を買い取って掲載しているわけではないはずだ。多くの日本人にとって、大学入試がどれだけ大きな意味を持つのかを示している。

全国の地上波テレビ報道で、賽銭泥棒？

また、軽微な犯罪をあえて全国の地上波テレビで報道し、人権を無視するかのような報道もある。例えば２０２１年12月末に、民放テレビが40代の賽銭泥棒をした男の実名を報道していたので驚いた。

22年４月には、大阪の老舗料亭がスリランカ人を不法就労させていたとして、入管難民法違反で社長ら幹部２人と法人を書類送検したというニュースが全国紙にあった。また、首都圏で滞在期限切れのベトナム人を雇用していたとして、台湾ラーメンの食堂店主を摘発し書類送検した、などと全国のテレビニュースで取り上げた時もある。

しかもコロナ禍直後で全国的に飲食業界が困窮していた時だ。そんな軽微な犯罪とも言えないようなケースで零細小売店をさらし者にして圧迫することに、何の意味があるのだろう。この程度で全国に「容疑者」の実名が報道される国は日本以外にはない。

一方で、複数の児童に性暴力を加え、本人も認めた小学校の男の教師（その後自ら退職した）については、名前を出さない。

それになぜ日本の新聞やテレビは、名古屋出入国在留管理局に収容されていたスリランカ人女性のウィシュマさんが死亡した事件で、管理局の責任者を追及しないのだろう。

これらの報道姿勢は不可解で理解しがたい。

自己検閲、または黙殺する新聞・テレビ

　些細な事象を大きく取り上げるのと対照的に、大事なニュースが取り上げられないことも多い。日本の新聞は総じて、それが大物政治家であれ、大きなニュースであれ、セクシャルな内容を自分たちで一般記事にして報じることはない。それが「予定調和」を乱すという観念がメディア業界に巣くっており、自己検閲を強いるのだ。

　以前、筆者が地方の新聞社で勤務していた頃に、ある県の知事が週刊誌に、破廉恥極まりない不倫旅行や接待スキャンダルを露骨に暴露されたことがあった。それを受けて、県政記者クラブは騒然となり、県知事の記者会見を要請し、数日後にようやく開かれた（地元のローカル雑誌も知事会見への参加を要望したが、記者クラブは案の定却下した）。

　同知事は顔を真っ赤にしながら会見場に現れて記事内容を否定してみせたが、それを報じた週刊誌を名誉毀損で訴えることは否定。明らかに、事実は週刊誌の通りだったのだろうと誰もが推測できた。

　同県内では、県知事側が発売直後に週刊誌を買い占めたようだった。そうした情報は瞬く間に県民の間に知れ渡ったが、インターネットの普及がまだ浅い時代で、県民はその記事を見ることさえできなかった。

だが驚くべきことに、長時間にわたる記者クラブの会見にもかかわらず、地元の新聞社や大手新聞社は、それを一切誌面で報じなかった。読売新聞だけが社会面で関連記事を載せていたが、それも掲載した週刊誌の買い占め疑惑に焦点を当てただけの小さな記事だった。

県知事は県民が選挙で選んだ公人である。たとえニュースがセクシャルな醜聞であったとしても、記者会見を開いて説明したのだから、それを報じることの何が問題なのだろう。

米国のビル・クリントン大統領が1998年にホワイトハウスのインターンと不倫関係にあったことが発覚した「モニカ・ルインスキー事件」では、米国メディアはセクシャルな内容でも赤裸々に内容を報じていた。これは国民の代表である大統領の品格を問う事件であり、国益にも関わることだ。

クリントン大統領と県知事の醜聞は格が違うからだ、と思われるかもしれない。だが、日本の新聞やテレビは、それが日本の首相といった大物であれば、下半身の醜聞は報じない空気がある。政治的に重要スキャンダルの場合であっても、週刊誌に任せる役割分担を勝手に作っており、それが新聞の高尚さだとでも勘違いしている。

1989年に、当時の宇野宗佑首相が女性スキャンダルが発覚しわずか2カ月で辞任するという激震に見舞われた。これは、神楽坂で芸者をしていた当時40歳の女性が、宇野氏と金銭を介した性的関係を結んでいたという週刊誌のスクープ記事が発端だったが、不思議なことにその時も日本の大手新聞やテレビは黙殺した。しかし、海外の新聞がそのスキャンダルを報じると、ようやく日本の大手紙も重い腰を上げて報道し始めた。

また、１９９６年から約2年間首相を務めた橋本龍太郎氏は、中国人女性と付き合い、その女性がなんと中国政府の諜報部員（スパイ）だったと週刊誌で報道され、国会でも取り上げられたことがある（この女性は自身の別の裁判で、中国の公安当局にいたことを証言したという）。

橋本氏は首相だけでなく、日本国際貿易促進協会の第6代目の会長も務めていた。この団体は中国との貿易を支援する友好団体で、中国向けのＯＤＡの橋渡し役としても関わっていた。

これは本来、日本の政界を揺るがす大スキャンダルだ。日本の首相が、中国のハニートラップにかかり、中国人女性スパイにはまった、というのだ。世界的な大ニュースではないか。新聞社やテレビがこぞって報道すべきだが、これもなんと日本の新聞やテレビはほとんど取り上げず、緘口令が敷かれているかのようだった。

中国やロシアは、こうしたハニートラップを使ったスパイ活動を極めて洗練された手法で行っており、毒牙にやられた日本の政界幹部は橋本龍太郎氏だけではないはずだ。それなのに、日本の新聞・テレビはそれらを黙殺してきた。

ジャニーズ性加害事件に見る報道姿勢

最近では、アイドル芸能プロダクション「ジャニーズ事務所」の創業者であるジャニー喜多川氏が、所属していた男性タレントにわいせつ行為を行っていた事件が日本中を衝撃の渦に陥れた。

だがこの問題は、１９６４年から知られていた。同氏によるタレントへのわいせつ行為は裁判にもなり、わいせつ行為は事実認定された。これらは一部週刊誌などで報じられたが、新聞やテレビはほとんど取り上げなかった。週刊文春が報じた後も、この話題が黙殺され続けていることに筆者も不愉快に思っていた。

同氏は２０１９年に死亡したが、その後、英ＢＢＣや米ニューヨークタイムズなど海外メディアが相次いで同氏の性的虐待について報道。さらに、23年にはＢＢＣがこの事件に関して長編ドキュメンタリーを報道した。

驚くべきは、こうしたジャニーズ事務所のスキャンダルをまったく報じてこなかった日本の新聞は、ＢＢＣの放送を受けてようやく、津波のように一斉に報道し始めたことだ。外圧だけが、日本の既得権益状況を変えることができる。外国新聞の報道でようやく重い腰を上げるという日本のメディアの体質は、昔から変わっていない。

１９７４年11月号の『文藝春秋』で故・立花隆氏が書いた特集「田中角栄研究――その金脈と人脈」は、田中角栄・元首相の首を取った形になった。だが、この記事が出ても、「ワシントンポスト」や「ニューズウィーク」などが報道し、国会での追及が始まるまで、日本の大手新聞各紙は無視し、後追いすることがなかったのは有名だ。

同じように、ジャニーズ事務所に関する醜聞を報道すれば、番組にジャニーズ系タレントを使えなくなるという圧力を受けていたテレビ局だけでなく、まったく関係のない新聞社までが積極的に自己検閲してきた。

その理由の一つとして、前述したように、日本の新聞は特に、政治家や著名人の愛人や下半身問題については報じないという不文律があるのだろう。それは、政治家や著名人の下半身の醜聞をあえて大目に見ようとしているかのように語られる。

ほかに大手の新聞が書かなかった理由として、深刻な人権問題だという認識が薄かったためだという分析があるが、筆者はそれだけではないと思っている。

都道府県の知事にしろ、首相にしろ、巨大な権力の醜聞を報じたことが及ぼす甚大な影響を、新聞やテレビのジャーナリストたちが手に負えないと判断して萎縮していることも大きいはずだ。いや、新聞だって巨大権力を叩く時がある、と言われるかもしれない。だがそれは、その権力が弱体化していた場合であり、影響に鑑みて予定調和に沿って控え目に報道したものだろう。

またジャニーズ事務所の場合は、週刊誌が報道したことを新聞が後追いして権力を叩くのは屈辱的だと見る意識もあったはずだ。もしくは、報道して名誉棄損などの民事訴訟に発展することを過度に恐れているに過ぎない。これも予定調和を崩したくないという心理だろう。

予定調和で象徴的なのが日本の記者会見である。例えば首相などの記者会見では、記者からの追及が実に甘い。首相や閣僚が答えやすい、一般的な質問ばかりが並ぶ。答えに窮するような質問は非常に少ない。

こうした会見には、記者クラブに加盟する大手新聞社や通信社、テレビ局の記者だけが参加できるが、彼らは記者クラブを通じて政府や省庁と深い関係ができており、厳しい質問をすることを臆しがちだ。記者クラブ加盟社間で不都合な質問はしないという自主規制も働いているはずだ。この点は、欧米メディアの記者会見と最も異なるところだろう。

権力側を唯一追及する場である記者会見でさえも、日本では予定調和を崩さないように事を運ぼうとするのだ。

予定調和というのは、混乱の中でも機能する。ジャニーズ事務所の性加害事件は現在、堰を切ったように報道されているが、これもまた日本のメディアの特徴だ。いったんタガを外してもいいという風潮ができさえすれば、メディア各社の報道は一斉に爆発し始める。そして、実に細かいことまで暴露されていく。沈黙も、爆発も、一斉に横並びなのである。これもまた予定調和の形である。

雑誌広告ならセクシャルな内容でも掲載

ところが、いざ新聞に掲載される週刊誌の広告になると、なぜか途端にタガが外れたように、セクシャルなビキニ女性の写真や、性的表現を許容する。見慣れている日本人からすれば、なんということもない週刊誌の中吊り広告に過ぎないが、これは外国人からすれば実に刺激的な光景だ。先に、日本の新聞は老若男女向けの生活雑誌のようだと書いたが、これを見ると、まるで新聞は男性だけが読者層であるかのようでもある。

こうした週刊誌は世界中のどの国にも存在するもので、週刊誌が悪いわけではないのは明らかだ。問題は、なぜ日本の新聞は性的なことに関わる情報を無視するのに、週刊誌の過激なセクシャルな広告は載せるのだろうか。新聞社はその責任を雑誌に転嫁できるからだろう。

ちなみに、ジャニーズ事件については日本政府も同様で、国連の人権理事会が日本政府に関与するよう促す声明を出しているというのに日本政府はなぜか重い腰を上げず、国会審議さえ行われなかった。

偏りあるスポーツ報道

またスポーツ報道に関しても民意を無視した偏りがあることに気づく。

野球の場合、日本で最も親しまれているスポーツなので、プロ野球や高校野球に至るまで幅広く報道されるのは理解できる。

筆者の同業の欧州のジャーナリストは、日本人はだれも相撲などやらないのに、なぜ相撲をテレビ中継するのかと訝(いぶか)っていたが、大相撲や、高校生の全国野球選手権大会、正月の箱根駅伝といったものも含め、日本の伝統スポーツ文化とテレビ放送が結びついたものは理解できる。

それでもあえて疑問を呈したいのは、関東大学ラグビーの対抗戦をNHKがテレビ中継するのに、日本のプロラグビーであるリーグワンの試合はほとんど放送しないというのはおかしい気がする。これも前述した、日本人の「大学信仰」を表しているのではないか。何よりも、日本のラグビーの実力向上に寄与しないと思われる。これはかつて日本代表チームのヘッドコーチを務めたエディー・ジョーンズ氏がぼやいていたことでもある。

そのほか、2022年6月19日に行われた那須川天心選手と武尊選手のキックボクシングの試合は、「世紀の一戦」として格闘界史上最も注目された試合の一つとなった。中継したインターネットテレビ「ABEMA（アベマ）」は1日の視聴者数で、開局史上最高数を記録。PPVの有料チケット販売数は50万枚を超えた。

それにもかかわらず、地上波テレビは放送しなかった（当初はフジテレビが2時間の生中継を行うことを予定していたが中止した）。テレビ局が放映しなかったのは、団体側に反社会勢力との関わりがある懸念があったとか、高額な放映権料の問題があったと言われる。

ただし、記録的な販売数を達成したほど国民的話題になったスポーツイベントを、新聞が社会ニュースとしても報じないというのは、さすがにずれている。大手新聞は翌日の紙面でなんと一行たりとも報じなかった。朝日新聞がその代わりに載せたのはこんな記事だった。「息ぴったり、狙うは頂点　全国レディーステニス決勝大会、きょう開幕」

日本のテレビの棒読み文化

テレビのニュースで時折、北朝鮮のニュース番組が短く映し出される時がある。民族服をまとった中年女性のアナウンサーが、独特のトーンで威勢良く原稿を読み上げる光景は、日本人にも見慣れていることだろう。

あの読み上げ方は奇異に映っているはずだが、程度の差こそあれ、実は日本のテレビのニュース報道も似たようなところがある。ＮＨＫも民放も、ニュース報道でのアナウンサーの態度はほとんどの局で大体同じだ。

アナウンサーはニュース原稿を実にゆっくり読み上げる。

日本人は大多数が日本のテレビ報道しか見ないので、これらを変に思わないかもしれない。だがこれは外国人には、非常に不器用な態度に映っており、北朝鮮のような発展途上国のイメージを与えている。

欧米諸国や、中国や韓国でさえ、ニュース報道の読み上げ速度は、通常の人々が話すスピードとほぼ同じだ。海外のアナウンサーは、原稿のプロンプターがあるケースもあるが、常にテレビカメラ目線で流暢に、自然に話す。

だが日本（や北朝鮮）のアナウンサーは、話し方がそもそも普通ではなく、スピードも遅い。

テレビ局側は、ゆっくり話すことが分かりやすく伝わると勘違いしているようだが、話し方があまりに遅すぎるので、じれったくてポカンとしてしまい、肝心のニュース内容が頭に入ってこないこともある。そのため筆者でさえ、YouTubeで日本のニュース番組は2倍速のスピードで見る。

原稿を棒読みするアナウンサーや記者について、NHKの解説委員を務めたこともある旧知の記者に筆者の意見を伝えたところ、「無駄な情報を省いて話していると考えてください」と言われた。

そういうものかと思ったものだが、よく考えてみなくとも、そんなことはない。普通のスピードで話してもらったほうが短時間でより情報を詰められるのは明らかだ。何よりも聞きやすい。ニュース番組などでは時々、現地の記者がスタジオに登場して解説したりするが、彼らはカメラではなく、プロンプターがあるらしき明後日の方向を向いて話すケースもあり、実に奇妙だ。話す内容もただ原稿を読み上げているだけなのだが、その話し方さえゆっくりでぎこちなく、まるで中学校の演劇会のようで、聞いているほうは辟易してしまいニュース内容が頭に入ってこない。

解説するくらいだから、彼らは新人記者ではなく、20年以上ニュース報道経験を持つベテランではないだろうか。まして海外のニュース報道のように、キャスターなどからの即席の質問などに対応すべきだが、そんなことは望むべくもない（しかし近年、テレビ東京などの報道番組で、原稿を読まずに即席で流暢に解説するキャスターが何人か登場しているのは確かだが）。

実はテレビの報道局は、間違ったことを話して視聴者から指摘されたり、訂正することを必要以上に恐れているのではないか。それを、視聴者が聞きやすいように、などとうそぶいているだけではないかと想像している。そのためスポーツニュースや気楽な娯楽番組になると、訂正に対する敷居が低くなるのか、とたんに普通の速さで話し始める。それが奇妙に映っていることには気づいていないようだ。

女子アナという不思議な職業

また日本には、俳優でもタレントでもモデルでも、ましてキャスターでも評論家でもない「女子アナ」という特殊なカテゴリーが存在する（「男子アナ」というカテゴリーはない）。本来ショービジネスや芸能とは無縁の報道の分野に、ショービジネスの要素が持ち込まれており、日本の視聴者はそれを楽しんでいる。

女子アナは、芸能タレントと比べてやや知的な分野にいるだけ、報道というよりも付加価値が付いたタレントのような存在に見られている。実際に女子アナは、お笑いや娯楽番組に出演することもある。これもまた日本だけの特徴だ。

テレビ局側も、できるだけ容姿端麗なアナウンサーにニュースを読ませて視聴率を上げたいのだろう。おそらくそのことが、日本のテレビ報道が「ジャーナリズム」になりきれない理由のひとつである。

日本の女子アナは、どこかの有名大学でミスコンテストなどに選ばれたような経歴か、コネがあればそれでいい。容姿端麗であればよく、報道に対する関心や知識、日本語の語彙力さえ不要だ。ニュース原稿を読み上げればいいだけだ。

例えばオーストラリアの公共放送ＡＢＣの場合、ニュースキャスターやアナウンサーの面々は男性も女性も長年ほとんど変わらない。番組のキャスターが10年間変わらないことも珍しくないので、彼らも年を重ねていくことになる。

ただし、現地からリポートする記者とのやり取りなど、臨機応変にさばいていく話術や機転が必要で、決して容姿だけで選ばれたわけではないのは分かるだろう。それは先進国のテレビメディアであれば同じようなものだ。

批判もしない、お行儀のいいメディア

日本の報道機関は概して、中立報道を理念とし過ぎているきらいがある。そのため極めて平板な報道となり、批判すべき時にも踏み込めず、結果的に政権にとって都合のいい行儀のいいメディアに成り下がってしまっている。公共放送ＮＨＫの場合は特にそうである。

メディアの行儀のよさは、外交、国際問題や安全保障政策になるとさらに顕著で、往々にして左派論調という色合いになる。どんなニュースでも他国を批判することには臆病で、予定調和のニュースばかりになる。

中国やロシア、北朝鮮といった国々に対する安全保障政策に関して、朝日新聞や毎日新聞、東京新聞などの左派的な論調を見ていると、その書き手は明らかに、海外に住んだことがないのではないかと啞然とさせられることもある。

先進国のメディアでは、国防軍や安全保障、軍事技術などに関する報道は日常的に紙面に掲載されているが、日本の新聞やテレビでは極めて少なく、触れるのがタブーになっている。憲法改正に対する反対論も、いささか高尚な仮面をかぶって悦に入っている。

そうした左派論者が勘違いしていると思われるのは、「相手国側も日本と同じ価値観だ」と信じている点だろう。当然ながら、国の価値観や指導者の性格はまったく異なる。それなのに、日本という井戸の中で育った、外国という大海を知らない書き手が、紙に書いた平和を唱えているのだ。

正常な感覚の持ち主であれば、誰も戦争など起こしたくはない。たとえ日本が平和を望んでいても、相手国は、正常ではない人物が権力を掌握し、戦争を起こそうとする場合も考えられる。その場合は、土足で自国の国土が踏みにじられる可能性も出てくる。

しかしさすがに、相手が正常ではない権力者でも、こちら側に十分な軍事力があれば、土足で踏みにじるのを躊躇する。そこに抑止力の効果がある。

それなのに日本では、防衛力としての正常な軍事力さえ持つことが悪であるかのように言うのは、あまりに稚拙な論調を展開しすぎだ。要するに、彼らは反戦的論調を唱えることこそが高尚な新聞だと勘違いしているのだ。逆に、現実的な安全保障政策を論じることを、さも低俗な論調であるかのように「好戦的論調」とか「右翼的」と断罪しているフシがある。

主要メディアが精神論的にそれを唱えるのは、結果的に日本人にとって危険な事態を招くと思わざるを得ない。近い将来に正常ではない権力者が、どういう行動をとるかは予知し得ないからである。

日本のように、安全保障を顧みない、不毛な左派論調を展開する新聞は、筆者は先進国では見たことがない。そしてそれは、敗戦国としての反省を迫られ続けた、日本のメディアの特徴でもある。

オーストラリアのメディアの論調

ここで、オーストラリアのメディアのケースを紹介しておこう。

メディア各社が、左派か右派かの違いについて騒がれることはどの国にもあるが、オーストラリアの場合は、左派メディアとされる公共放送ＡＢＣと、マードック財閥系の右派メディア、ニユーズコープ傘下の全国紙オーストラリアンが両極端にあり、オーストラリアンはことあるごとにＡＢＣを非難する記事を載せている。

オーストラリア上院議会で２０２２年12月に、公共放送ＡＢＣのデビッド・アンダーソン社長を招いた聴聞委員会が開かれた。委員会では、ＡＢＣが与党の労働党に寄りすぎる政治バイアスがかかっているとして、野党の自由党がやり玉に挙げていた。その際の議論は、オーストラリアの言論文化を垣間見るようで興味深いものだった。

自由党議員がＡＢＣを追及したその委員会の内容も、オーストラリアンが大きく取り上げていた。それによると、問題視されたのはＡＢＣの記者による言動だった。

中でも、ＡＢＣのキャスター、パトリシア・カーベラス氏は労働党の宣伝をしたとして糾弾された。カーベラス氏は、連邦議会選挙が行われた２０２２年5月21日の晩に自身のツイッター（Ｘ）で、労働党のリンダ・バーニー議員とのツーショット写真と共に、バーニー議員について、「この女性はレジェンド。次の先住民相になる人物」などと絶賛したコメントを発信した。これが問題視されたわけだ。

ちなみにバーニー議員は、先住民出身の女性議員で、実際に今回のアルバニージー政権で先住民相に就任している。カーベラス氏も過去に先住民の権利についてよく取材活動を行っており、思い入れがあったようだ。

これはさしずめ、日本のＮＨＫの看板キャスターが、衆議院選挙の開票日の晩に、当選した特定候補とのツーショット写真と共に、その候補を絶賛するコメントをツイッターで発信した、と考えると分かりやすい。選挙後とはいえ、日本でなら国会で大問題となるだろう。

それ以上に、カーベラス氏の言動が問題となった背景には、ABCのニュース番組での彼女のふだんの言動もあるに違いない。毎日の夕方の時間帯でニュース番組を仕切っていた彼女は、招いた政治家の発言を途中でさえぎり、歯に衣着せぬ言葉でやり返す場面が頻繁に見られる。

インタビュアーなのにニコリともせず、ふてぶてしい態度で発言をさえぎる態度には、招かれた側の政治家がいらつくケースが多い。野党となった保守連合側には、当時政権を握っていた保守連合政権に対するカーベラス氏の厳しい態度が、労働党寄りに世論を動かして政権転覆につながったとの思いが多少でもあるはずである。

自由党議員の追及に対して、ABCの社長は「ツイッターで、一政党を絶賛したら問題だが、一人の議員を絶賛したのなら、ABCの行動規範に反することにはならない。政治的なバイアスもない」とカーベラス氏を擁護してみせた。

自由党が問題視したのは当然としても、ABCの社長がおとがめなしの判断をし、国民もそれほど目くじらを立てないというのは、この国のメディア文化を象徴しているかのようで、日本のキャスターのロボットのような姿勢を見慣れた筆者も驚いたものだ。

日本の騒動との違い

というのも、ABCの件で思い出されたのは、日本で2023年9月、テレビ朝日のコメンテーターが、安倍晋三元首相の国葬に関して、番組内で誤った内容とされるコメントを発言した後の顛末だ。

本人は、翌日の番組内で事実誤認だったとして謝罪したにもかかわらず、誤った内容を発信された直接の関係者よりも、むしろ世論からの猛烈な批判がやまなかった。所属するテレビ朝日も同氏を擁護せず、出勤停止10日間の懲戒処分を下した。それでも、その処分内容が甘いという不満さえネット上で噴出した。

先のカーベラス氏に対して、オーストラリアン紙が彼女の顔写真付きで問題を報道したその当日でさえ、彼女は何食わぬ顔で番組に登場し、「カーベラス節」を緩めていなかった。

オーストラリア国内世論で、彼女に対する右派の不満は、実際にネット上にはあっただろうが、それがABCの報道姿勢に影響を与えることもない。個人的には、日本とオーストラリアの違いにはいつも嘆息している。

その結果、日本では政権側から苦情が来たらやっかいだ。失言をすまい、予定調和を乱すまいと、国会議員からテレビのキャスターやコメンテーターなどまで、誰もが当たり障りのない原稿を棒読みするだけの文化がまかり通っている。

最も自由に、過激に議論を戦わせるべき国会の予算委員会でさえそうである。特に首相や閣僚の答弁は、官僚たちが夜を徹して作った原稿を読むだけの形式的な読み合わせ式に過ぎない。

少しの失言や誤りが一般大衆の非難を招き、自身の責任を追及されかねないことは避ける、という腰が引けた言論文化が日本にはある。ここにも、日本の予定調和信仰は顔を出している。

テレビ業界の「1349」

外国人から見た、日本のテレビ番組の印象を想像できるだろうか。

それは、「お笑い番組」と「グルメ番組」ばかりだということである。娯楽番組だと大抵この2つの要素は盛り込まれており、御当地グルメなどを紹介されると、つい引き込まれてしまう。だが、ハッと我に返ると気が付く。テレビはさっきからずっとこんな番組ばかりではないか?

筆者の知人に、ある大手テレビ局の幹部がいる。その彼に会った時に、そのことについて苦言を呈したことがある。すると彼は、民放のテレビ局には「1349」という原則があるという。つまり、テレビ番組は13歳から49歳までをターゲットにした番組作りになっている、ということだ。「だから、50歳をとうに過ぎた君の関心はほとんど番組に考慮されないんだね」と言って苦笑した。テレビにはスポンサーの意向も働くのだろう。

だが後になってさらに疑問が湧いた。いやちょっと待てよ。ではなぜ、日本の1349は、お笑いとグルメにしか興味がないのだろうか――。

挙げ句の果てにできあがった日本人

ここでやや話題が逸れるようだが、紹介したい日本人のある意識調査がある。統計数理研究所が5年に一度行っている「日本人の国民性調査」（2013年、表参照）である。

「もう一度生まれかわるとしたら『日本に生まれてきたい』か、それとも『よその国に生まれてきたい』か」を選んでもらったというものだ。

「日本に生まれてきたい」を選ぶ人は、2008年時点では全体で77％だったが、2013年には83％へと上昇した。年齢層別に見ると、若年層を含むすべての年齢層で7割を超えた。男性も女性も、高齢になるに従って高くなる傾向がある。日本人としてのアイデンティティーが国民に広く育まれている、と見て取れる。

これは2013年時点という古い調査だが、2018年時の調査には同じ質問項目がないものの、もし同様の調査を現在行ってもほぼ同じ回答結果になるだろうと思われる。

この日本人の意識調査結果の背景として、美味しい日本食、丁寧な医療やサービス、安全な治安、日本語による娯楽、などが日本人として生まれて良かったという背景にあるのは間違いない。

《もう一度生まれかわるとしたら「日本」に生まれてきたい》

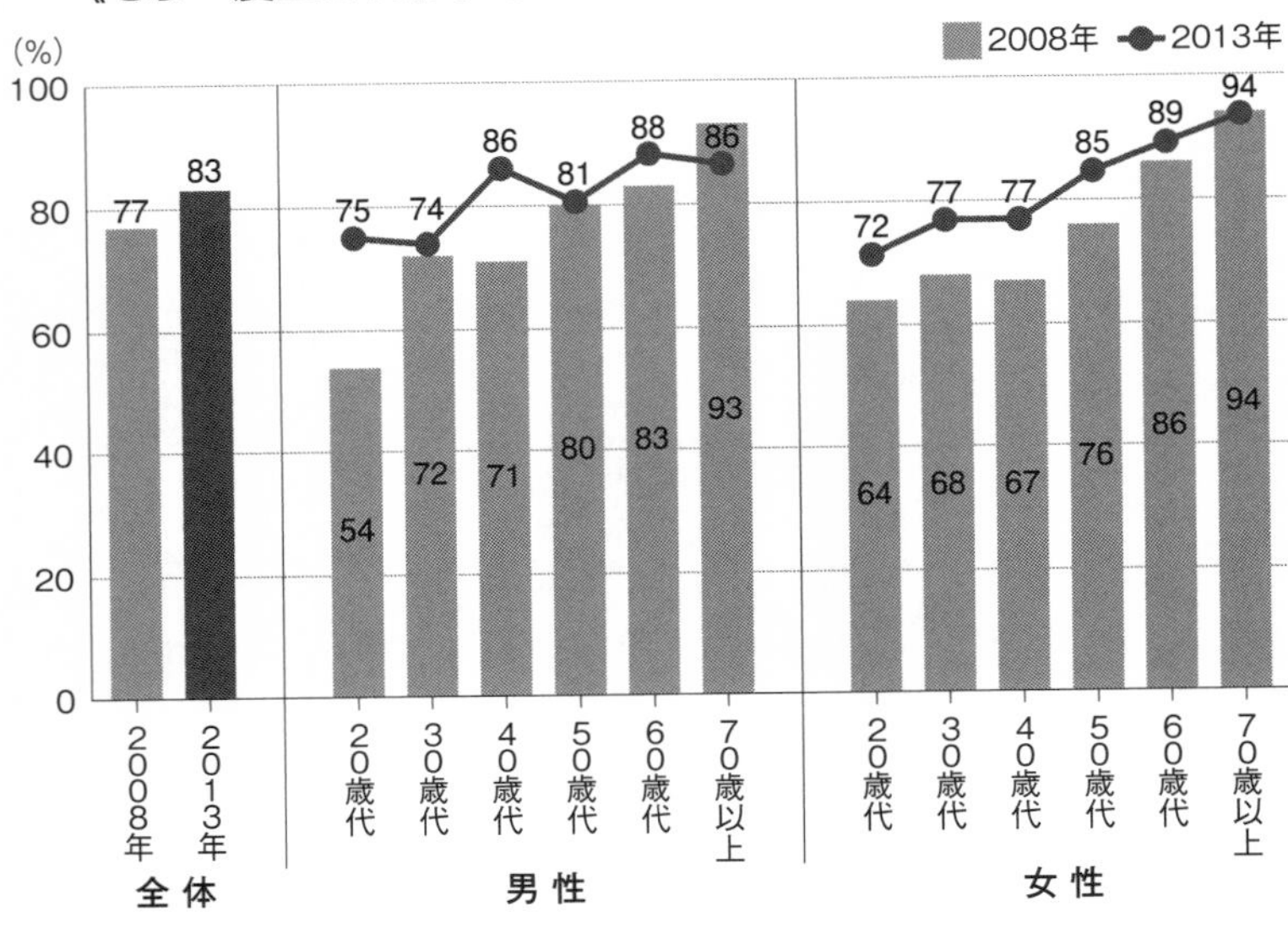

（出所）統計数理研究所「日本人の国民性調査」（2013年）

余談だが、オーストラリアには短期滞在も含めて日本人が約10万人いる。海外在住の日本人の数では、オーストラリアは米国、中国に次いで多く、もうすぐ中国を追い越して2位になる勢いだという。

だが日本人の在住者は、他の国（中国人や韓国人、インド人など）と比べて、家族を日本から呼び寄せてコミュニティーを築こうとしない。高齢者になると日本に帰る傾向がある。そのため、オーストラリアで日本人のコミュニティーは広がらず、あまり根付かない。これは中国や韓国など、アジアの他国のコミュニティーが何世代にもわたって拡大しているのとは対照的である。

しかしそれは、日本から見ると理解できる現象ではないか。もしも自分の子供がオーストラリアに移住したからといって、子供は親もオーストラリアに連れてこようとは言わず、万が一、言ったとしても、自分もいずれはオーストラリアに住もうという親はなかなかいない。それは取りも直さず、日本の生活環境が心地いいからだろう。

筆者は日本での生活が長いので、日本人のその気持ちはよく分かる。いくらオーストラリアの生活が豊かだとはいえ、日本人が高齢者になってまでオーストラリアに居続けようと思わないのは道理だ。日本人は、日本の生活スタイルには、極めて満足している。それが、先ほどの生まれかわっても「日本に生まれてきたい」という感情に結びついている。

その一方で、別の統計も紹介したい。ウィン・ギャラップ国際調査（WIN/Gallup International's Global Survey・２０１５年）で、世界各国の人々（計約６万２０００人以上）に聞きとり調査したものである。その設問はいささか刺激的なものだ。

「あなたは国のために戦えますか？」――。

「イエス」と回答した割合の国別ランキングでは、モロッコやフィジーが94％と最高だった。75％以上のグループを見ると、地域的な偏りは見られないようだが、先進国がないという特徴がある。

驚かされるのは、日本がダントツで低い11％だということだ。先ほどの愛国的な調査結果はどこに行ったんだ、という感じがする。ウクライナ（62％）もロシア（59％）も同水準で高い。米国は44％、韓国も42％ある。オーストラリアは29％と低いが、それでも日本の3倍近くあるとも言える。

実はこの調査が発表されると、世界中でものすごい反響があった。統計に懐疑的な見方だったり、非難が集まったりした。それほど物議を醸す調査だった。

また1990年代に先進17カ国だけを対象に同じ質問をした別の調査でも、日本は23％と最下位だった。この時オーストラリアは75％と6位だった。

確かに、調査時点でその国が置かれた状況によっても回答は異なるし、実際に何か有事が起きた時にどうなるかは分からない。聞き取り調査だったので、国民気質によっても異なるかもしれない。

ただし筆者が関心があるのは、一体なぜ日本はこんなに低い割合なのか、ということだ。明らかに、日本の教育制度では、愛国心や、国家に対する愛着が育まれているとは言えない。それは、統治者（Administrator）である日本政府や霞が関が、国民が享楽的なことにばかりに耽溺するような社会システムを作ってきたからではないだろうか。

むしろ日本の教育制度で育まれているのは、「日本に生まれてきたい」という調査結果に表れたような、日本の「心地よい生活」への愛着であり、「日本の生活品や文化」、「快適な生活スタイル」へのこだわりに過ぎない。それが、先に言及した「１３４９」の国民の意識に表れている。

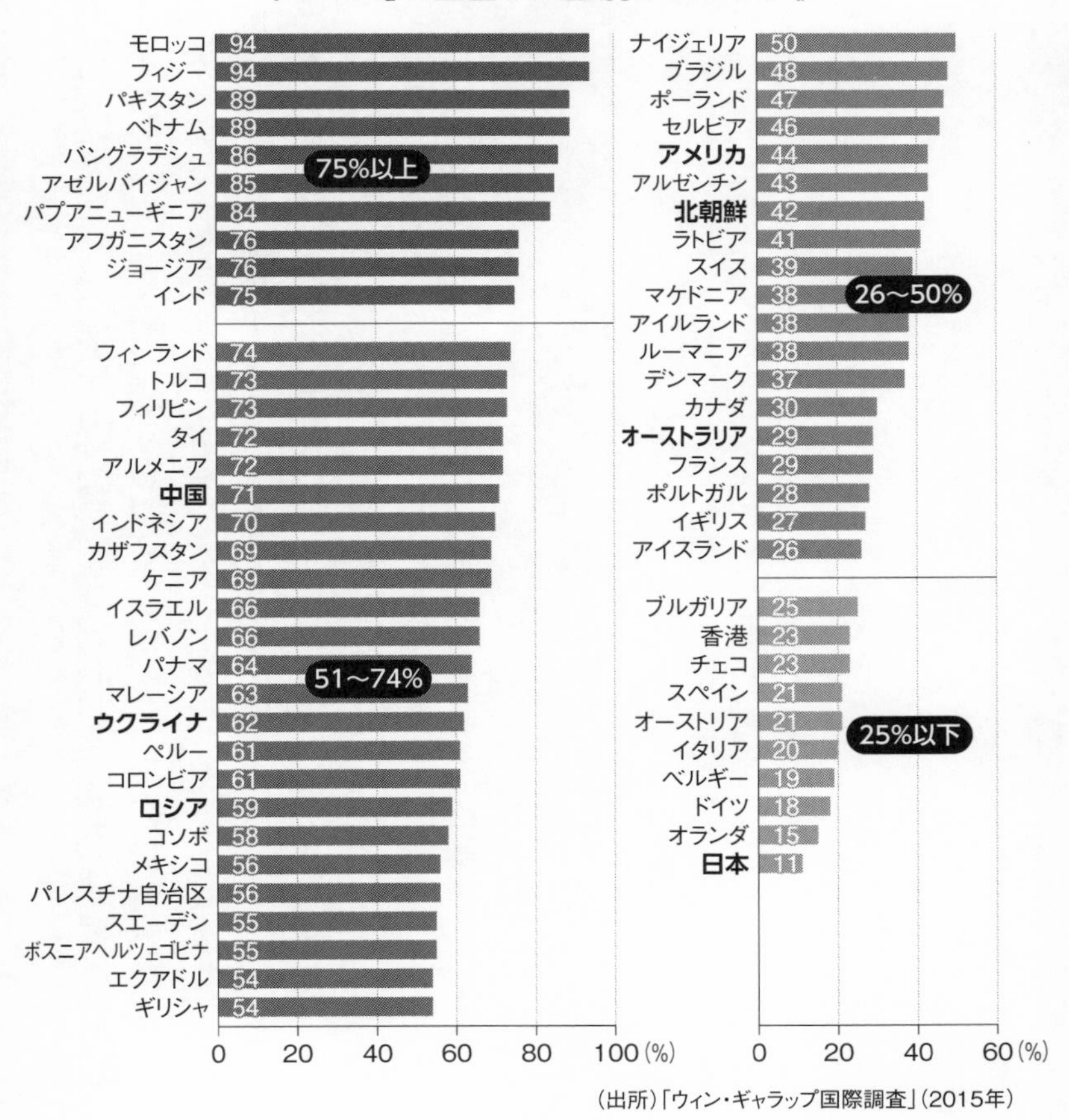

(出所)「ウィン・ギャラップ国際調査」(2015年)

政治には関心がなく、投票にも行かない。20代の国政選挙の投票率は30%台しかない。外国にも行きたくない。テレビや新聞はお笑いやグルメ、ドラマや映画の情報ばかり。心血注げるのは趣味だけだ。デモや自己主張など格好悪いことはしない。政府やお役所には素直に従う。——統治する側にとっては、国民が衆愚でいてくれたほうが都合がいい。

役所や企業にとって、日本人は非常に扱いやすい国民にうまく育ってくれている。

第5章

自国を貶める、事なかれ外交

外国人として日本の政治や行政を見ていると、彼らはなぜ、わざわざ自分の国にタガをはめるようなことをするのだろうと不可解に思うことが頻繁にある。

そのことは、国際政策、特に安全保障や海外との経済協定の側面でも如実に表れる。本章では、その点をオーストラリアとの関係で述べたい。

日豪関係の進化に足枷をはめる官僚組織

日本とオーストラリアの関係は、日本が羊毛の輸入を始めた1800年代末にさかのぼる。当時は、真珠の採取に従事するため、日本から多くの移民がオーストラリアに渡っていた。

戦後の日豪両国は、貿易・経済面での「日豪通商協定（1957年）」や、文化交流を促進する「日豪友好協力基本条約（1976年）」、安全保障面での協力を拡大する「安全保障協力に関する日豪共同宣言（2007年制定後、22年に改正）」など、関係が年々成熟してきた。

2014年以降は日豪は「特別な戦略的パートナーシップ」となり、翌15年には新たに「日豪経済連携協定（日豪EPA）」を締結した。この日豪EPAは、自由貿易協定（FTA）の上に、さらに重要な政治・安全保障、投資保障などの分野を含めて深化させたものだ。

日本はエネルギー資源や鉱物資源、食料を輸入し、オーストラリアは自動車や土木機械を輸入するという、相互補完的な関係が出来上がっている。日本にとっては、輸入する石炭の7割、鉄

《日本とオーストラリアの関係》

年	関　係
1800年代末	日本が羊毛の輸入を始める。 真珠採取のための移民が日本から渡る。
1957年	日豪通商協定（貿易・経済の促進）
1976年	日豪友好協力基本条約（文化交流を促進）
2007年	安全保障協力に関する日豪共同宣言
2014年	特別な戦略的パートナーシップとなる。
2015年	日豪経済連携協定（日豪EPA）締結
2021年	QUAD（日米豪印）の首脳会談開催
2022年	日豪円滑化協定（RAA）締結 （自衛隊とオーストラリア軍の相互訪問の円滑化をはかる）

鉱石の６割、天然ガスの４割、砂糖の９割、牛肉の４割、小麦の２割はオーストラリア産である。

また22年には「日豪円滑化協定（ＲＡＡ）」を結んだ。これは、自衛隊とオーストラリア軍が、互いの国に部隊を派遣して共同訓練や災害対応を行う際の地位などを取り決めたものだ（これについては後述する）。

オーストラリアにとって日本は、１９７０年代初頭から30年近く最大の貿易相手国だった。その地位は中国に抜かれることになったものの、日本は依然として、安全保障を含めてアジアで最も緊密なパートナーである。

さて、ここからがこの章のテーマである。

日豪は、安全保障と貿易面で日豪関係を順調に進化させてきたと思われがちだが、緊密な関係が構築されるまでの道のりは決して順調ではなかった。

実は日本の融通の利かない官僚体制が、足枷をはめてきた側面があるのだ。

大災害の中でも杓子定規

オーストラリアには、外国からの投資受け入れの是非を国益の観点から審査する諮問機関、外国投資審査委員会（ＦＩＲＢ）がある。これはあくまで財務大臣に対するアドバイザリー機関だが、ＦＩＲＢの決定は国内の合併買収（Ｍ＆Ａ）に大きな影響を及ぼす。

２０２３年現在、ＦＩＲＢの理事長を務めるのがブルース・ミラー氏だ。実はミラー氏は、２０１１年から17年まで駐日オーストラリア大使を務めた人物でもある。

ミラー氏は、安倍晋三元首相と深く関わり、民主党政権時代を経て、安全保障や捕鯨問題、日豪ＥＰＡなどの交渉の舞台裏で最も奔走した経験を持つ。

そのミラー氏に、日本社会の構造について直接話を聞いた。

インタビュー

「コンセンサスに縛られた日本のシステム」

ブルース・ミラー（豪投資審査委員会理事長）

――ミラーさんは２０１１年から17年までオーストラリアの駐日大使を務めました。この期間、故・安倍晋三元首相と深く関わったそうですね。

２０１１年に私が大使として赴任した際、当時野党となっていた自民党の後方で低迷していた安倍氏に数回会ったことがあります。安倍氏とは、貿易と安全保障に関するあらゆる問題について数時間にわたって話をしました。安倍氏が首相の座に返り咲いた時、彼が下野していた時にも私が近づいていったということを、彼は認識してくれていました。

――日豪関係で言うと、安倍元首相はどんな功績がありますか？

安倍氏は日豪関係を進める上で極めて重要な功績があります。２０１２年12月に首相に復帰した後の数年間だけで、当時のトニー・アボット首相、マルコム・ターンブル首相、スコット・モリソン首相らとの協力で、日豪関係はますます強くなりました。自由貿易協定の締結、相互アクセス協定の交渉開始、防衛・諜報関係の強化、日米豪３国間対話の構築、米国離脱後のＴＰＰの復活などです。

――安倍氏は特にアボット首相と昵懇の間柄で、両氏が首相だった期間に日豪関係が急速に進展したように思います。

安倍首相とアボット首相は共に現実主義で、個人的な価値観を幅広く共有していたので、非常に相性が良かったです。アボット首相は、日豪の戦略的関係に野心的で、安倍首相が提案した「特別な戦略的パートナーシップ」という呼び方を歓迎しました。アボット首相は、潜水艦協力と防衛協力協定の締結を通じて戦略的関係を強化し、日本にとってもファイブアイズに近い形を達成したい、と考えていました。

アボット首相の見解は現実的なものであり、歴代のオーストラリア政府によって広く共有されていました。アボット首相が他の首相と異なっていたのは、それらの目標を追求した粘り強さでした。

しかし現実的でなかったのは、それらの野心的な目標をどれだけ迅速に実現できるかという彼の期待値だったでしょう。日本のシステムの複雑さは、リーダー単独の関与でそれらの目標を解決できる水準を越えていたのです。

――その点にも関わりますが、日本のシステム全体が抱える「呪縛」について取材を進めていますが、ミラーさんが日本大使の在任期間中に政治や行政と関わり、複雑さや困難さに直面していたことはありましたか？

それは毎日、感じていました。日本では、ボトムアップ方式のコンセンサスによって意思決定

が行われ、トップダウンで行われるわけではないことからくる困難です。

例えば、オーストラリアである意思決定に5人が関わるとすると、日本では50人が関わります。それに日本の役人は、おそらく10人から15人の政治家や高官に説明し、彼らのうちの誰かがその説明に拒否権を持つのです。

――その構造的な弊害に直面した、具体例はありますか？

象徴的だったのは、２０１１年3月11日の東日本大震災の悲劇からの一連の出来事でしょう。この時、震災発生後直ちに当時のジュリア・ギラード首相は、重機空輸能力がなかった日本に、オーストラリアがC－17グローブマスター輸送機３機の提供を決定しようとしたのです（ギラード首相はその後、外国政府首脳として初めて現地を訪れることになった）。

しかし当時は日本の法制度上、実際に海外の空軍の輸送機を受け入れることが合法かどうか明確でなかったために、なんと日本の当局が受け入れを拒んだのです。

しかし事態は緊急を要することから、当局の拒否を押しのけて、米軍の地位協定を使って東京の横田基地に一旦輸送機を入れて、被災地に運んだのです。明らかに日本のためになることなのに、ルールがないからといって緊急支援を受け入れないとは、あれほどおかしなことはありませんでした。

——日本政府は、大惨事という「現実」に対処せずに、杓子定規に制度だけを見て対処したのですか。

そうです。日本では「法律の枠組みがないならできない」。でもオーストラリアでは「法律の枠組みがないならできる」と判断します。そこが大きな違いです。しかしその時の教訓があったから、後の日豪円滑化協定(RAA)につながったのです。そこに行き着くまでにはまた10年もかかりましたが。

安倍首相が一番強かった時にさえ、彼が自分の意向を反映するのは至難の業でした。オーストラリアの当時の閣僚たちは、安倍首相が全権力を支配し、何でも決定できると信じる傾向がありましたが、あくまでも日本のシステムでの「強力な首相」にすぎませんでした。

安倍首相が、官邸から官僚機構や他の政治家を説得しなければならなかったからです。「命令」ではなく、「説得」でした。そのため、安倍首相がシステム全体のコンセンサスを覆すようなことはありませんでした。

――首相でさえその意向が自由に反映されないシステムであると。

そのために、我々の意向を反映させるには、日本のシステム全体を巻き込む必要があるのです。安全保障や自由貿易経済協定などの国際問題では、日本のようなコンセンサスベースのシステムではなおさら、首相に対処するだけでは十分ではありません。

つまり重要な教訓は、忍耐力を持つ必要があるということです。日豪の自由貿易協定は14年、相互アクセス協定は９年もかかったほどです。

――日本のシステム全体を巻き込む、とは具体的にどう対応するのですか？

政治や官僚、企業、学界などあらゆるレベルの領域で活動する必要がありました。官僚機構が完全に主導権を握っているわけでもないからです。日本のコンセンサスの意思決定権者は、オーストラリアよりも遥かに分散しており、さまざまなプレイヤーを幅広く巻き込む必要があるのです。

そして日本の官僚は、我々オーストラリアの官僚よりも遥かに与党や野党、国会議員全員と関わっています。閣僚や一般議員の区別はありません。

言い換えれば、我々のロビー活動でも、あらゆる日本の政治家との関係を深めることが、日本の官僚の立場を変える手段になるということです。

――ミラーさんから見て、日本の官僚機構の権限はどの程度大きいのでしょうか。

官僚機構の権限は莫大ですが、以前より力を失っていると思います。安倍政権下では、国家安全保障、外交、経済政策については官邸に権力が集中しましたが、コロナ禍に見られたように、健康政策など他の分野では依然として権限は大きいです。

ただし農林水産省など一部の省庁は、既得権益を守る役割から改革を推進する役割へと移行しています。しかし現在も依然として変わらないのは、コンセンサスによる意思決定と、多くの機関が関与することです。

——オーストラリアでは大臣の許可を必要とする案件で、他の国会議員にいちいち説明しませんが、日本では官僚が多くの国会議員に根回しをするのですね。

そうです。政策やあらゆる法案は、与党の政策委員会のプロセスを通過しますが、官僚は国会の各委員会を通じて、与党や野党を問わず多くの国会議員にブリーフィングを行うのです。

オーストラリアとの大きな違いは、オーストラリアの制度では大臣が決定する日常的な政策を、官僚が自分たちで決定してしまうことです。日本では大臣は上位5つの問題には関与しますが、それ以下の問題には関与しません。

しかもある問題に関して最も権力を持つ政治家は、その担当大臣ではなく、自民党か、国会の関連政策委員会の委員長であることがよくあります。例えば、自民党の外交部会長や国防部会長、農林部会長などです。

——ミラーさんは日本語が堪能ですが、駐日本大使としてはそのことがどれだけ有益だったと思いますか？

我々の声を届けるためには、日本語の能力と、総合的な交渉スキルの両方が必要だと思います。数十年にわたる大使としての成功の大部分は、スキル、経験、知識、人脈を我々が持っていたからですが、大使が日本語を話すこともまた重要です。

だからと言って、日本語を話さないプロ意識の高い大使を非難するものではないのですが、不利な立場に置かれるのは確かです。日本では意思決定に影響を与える人数が多く、そのほとんどが英語を話さないからです。

中国、韓国、ロシア、英国、カナダ、ニュージーランドは、毎回常に日本語を話す大使を東京に派遣していることが、そのことをよく表しています。

また先にも話しましたが、安倍氏が私を知っていることは官僚機構にも知れ渡っていました。そのためオーストラリアの要求を無下に断れなくなり、影響力も高まったはずです。それは日本語を話せることや、地位に関係なく全員に声をかけたことから生まれたものでしょう。

肥大化した官僚の権限

日本は戦後、欧米に追い付け追い越せとばかりに、官僚が主導して積極的に政策を推し進めてきた。その影響で、政治家よりも官僚による行政権限が肥大化し、官僚が実質的に政治権限を掌握するようになってしまったという側面がある。

日本の官僚には「予算編成」や「法律の企画・立案」「行政命令や行政規則」と、3つの権限がある。国民に選ばれたわけでもないのに、官僚がここまで権限があるのは先進国では珍しい。

日本の場合、政治家や政党が立案する法律ではなく、各省庁の官僚が政策を持ち寄る「政府提出法案」の割合は、なんと9割に上る。

しかし、特にバブル崩壊以降は税収が減って、予算編成では政策の優先順位を決める必要が多くなってきた。それを調整するのは政治家だが、政治家自身の知識や経験が乏しい上に、自分の選挙区の利権や、人間関係などに縛られて大局的な判断ができない。

各省庁の大臣も、所管する省庁のロボット的な代弁者になってしまって調整できない。日本ではそのため、ますます事態が進展しないという事態になる。そこで一部の官僚が頭の弱い殿様に代わって暗躍する、という形になっているのだ。

だが官僚は、法律の枠組みを越えては行動できない。そのため、前述したようにミラー氏が東日本大震災の直後に経験した、輸送機のオファーを日本政府が拒否するという愚かな判断が生まれてしまう。自宅に火が付いて燃え始め、隣家がホースで水を撒いて消してあげようと言っているのに、「それはお宅のホースだからお断りします」と言うようなものだ。そんな緊急時にさえ、日本はリーダーシップを発揮できないシステムになっているのだ。

日本政府の意思決定構造では、常にボトムアップで決定され、首相や閣僚がトップダウンで決めるわけではない――そのことを最もよく知らされたのがミラー氏だったのだろう。

ちなみにミラー氏は、一筋縄ではいかなかった日豪交渉に当たった時期の過程について、手記に近い形の交渉録を残す予定だ。今後日本との交渉に携わるオーストラリアの外交官に参考になるとの思いからだという。この手記は２０２４年にも内部で冊子化されることになっている。

自国民の尊厳を守る気がない

ところで日本政府は、自国民の尊厳をどう考えているのだろうか。そのことを考えると、実に心もとない気分にさせられる。

例えば日本人が麻薬取引の罪を外国で犯し、死刑を宣告された場合、日本の政治家は外交を通じてその国の政府に減刑を訴えるだろうか。メディアは減刑を求める大きなキャンペーンを繰り広げるだろうか。日本人の有名人やタレントらは、自分の影響力を意識して、ＳＮＳなどを通じて減刑を訴えるだろうか。

いずれもあり得ない。日本人の対応はおそらく、外国で犯罪を犯した日本人に対して、自業自得だと唾棄したり、冷ややかに無関心を決め込むだろう。

ボランティア団体の活動で訪れた発展途上国で過激派の事件に巻き込まれたり、香港の民主派デモに観光客として巻き込まれた場合でさえ、そうした人々を非難する意見がSNSで飛び交った。まして、政治家が彼らの尊厳を守ろうと行動したのは聞いたことがない。香港の民主派デモに対しては、日本政府は、市民を弾圧する香港警察当局に対して懸念さえ示さないほどで、これには呆れた。

例えば中国で、麻薬密輸で日本人の死刑囚が死刑執行されたケースは2010年から17年までに7人もいたが、日本国内で彼らの人権保護の声が高まったとは聞いたこともない。

中国では2014年に「反スパイ法」が施行され、これまでにスパイ行為に関わったなどとして少なくとも日本人17人が拘束されている。スパイ容疑での拘束は日本人が最多だという。

23年3月にも、北京市でアステラス製薬の現地法人幹部の日本人男性がスパイ容疑で拘束され、後に逮捕されている。

16年にも、日中関係の交流で功績のあった、日中青年交流協会の元理事長の鈴木英司氏が、中国で身に覚えのないスパイ容疑で逮捕されるという事件があった。懲役6年の実刑判決を受けて服役させられ、満期を迎えて21年10月に帰国した。

その鈴木氏が一部メディアに実名で取材に応じているほか、講演活動を行っており、その内容もYouTubeで公開されている。このように中国でスパイ容疑で逮捕服役後、帰国してから実名取材に応じたのは「鈴木氏が世界で初めてだ」とアメリカのメディアから言われたという。それほど、中国による威圧は強烈なのだろう。

外務省からの連絡は帰国から11カ月後

そして驚くことに、釈放後の帰国からなんと11カ月後（！）の22年10月になってから、鈴木氏に拘束状況について聞きたいと外務省の邦人保護担当者から連絡があったという。帰国後は直ちに、アメリカやカナダ、オーストラリアなどの在日大使館から話を聞かせてほしいと連絡が相次いだというのに、だ。

鈴木氏は面会した外務省担当者に、なぜ帰国から11カ月後になって初めて接触してきたのか尋ねたが、担当者から明確な回答はなく、「研究して今後に活かそうと思います」などと言われたそうだ。鈴木氏は「メディアで報道されたので国会で質問を受ける可能性があり、その事務対応のための面会だろう」と推測している。

これには、大いにショックを受けた。

民間人の男性が身に覚えのないスパイ容疑で不当に拘束され、6年間も服役したというのに、帰国後11カ月もの間、邦人保護の目的どころか、聞き取り調査目的でさえ日本の外務省から何も聞かれず、無関心だったということには唖然とさせられる。結局、外務省の邦人保護意識はこの程度なのだと認識させられる。

日本の外務省は、他の欧米先進国とは違い、自国民の尊厳を守るという意識がないのではないか。

中国では2023年にスパイ行為の定義を拡大し、取り締まりを徹底する「改正反スパイ法」も施行された。これでは起訴内容も非公開、裁判も非公開となる。摘発対象行為もあいまいなため、中国在住の日本人は、恣意的に拘束されることを非常に警戒している。

こうした状況で日本の外務省は頼りになるのだろうか、まして、日本人の保護に関心を持っているのだろうか。

オーストラリアの自国民保護意識

他の先進諸国であれば、その国の政府だけではなく、メディアや経済団体、業界団体などが大騒ぎするところである。だが日本の場合、そうした団体は実におとなしい。大騒ぎすることで、自分たちに火の粉が振りかかることを恐れているかのようだ。

同じような状況にある時に他の先進国はどう対応するのか、オーストラリアのケースを紹介したい。

オーストラリア人が近年巻き込まれた国際事件に関する報道を見ていると、オーストラリアはアジア太平洋地域にありながら、やはり西洋的メンタリティーを持っていることをあらためて痛感させられる。「自国民の尊厳」にかかわる問題では、あまりに日本の感覚と異なるためだ。

２０１５年3月に、オーストラリア人記者のピーター・グレステ氏がスピーチする、大規模なフォーラムがキャンベラで開かれた時のことだ。このグレステ氏は、エジプトで非合法化されたイスラム組織「ムスリム同胞団」を支援した容疑で、エジプトで４００日以上にわたって拘束された後、満期を終えてオーストラリアに帰ってきていた。

グレステ氏が帰国した時から国内は大騒ぎだった。フォーラムには当時のビショップ外相も参加し、公共放送ＡＢＣは1時間以上にわたり講演を地上波で生放送したほどで、グレステ氏はまるで国民のヒーローのような扱いだった。

そのほか、こんな事件もあった。

インドネシア司法当局が15年2月に、麻薬密輸の罪で収監中のオーストラリア人のミューラン・スクマラン死刑囚とアンドリュー・チャン死刑囚２人に対する刑を近く執行すると発表した。するとオーストラリアでは大騒ぎになり、減刑を求めた運動が全国規模で広がった。それは１カ月以上も続き、当時のアボット首相もインドネシア政府に対し、オーストラリア人死刑囚の減刑措置を求めたほどだった。

新聞もテレビも、メディアは総出でキャンペーンに乗り出した。筆者が覚えている最も象徴的な報道は、2月24日付のシドニー・モーニング・ヘラルド紙である。芸能人や著名人、スポーツ選手の顔写真がずらりと並べられ、その中心に「WE STAND FOR MERCY（私たちは慈悲を求めます）」とある。

メディアでは、血色が良く健康的で、笑顔の死刑囚2人の写真まで掲載されていた。まるで冤罪で逮捕された、無実の若者であるかのような印象だ。

だが、あえて日本人的な感覚で言えば、死刑囚2人はオーストラリア国籍を持つとはいえ、スリランカ系と中国系の移民である。麻薬密輸の罪はどこの国でも重い。量刑が殺人罪よりも重いケースは珍しくない。しかも今回のケースは、冤罪が疑われているわけでもない。

スクマラン死刑囚は、334グラムのヘロインをオーストラリアに密輸しようとした、バリナインと呼ばれるドラッグ密輸団メンバーの首謀者でもあった。逮捕されていなければ、それらの麻薬はオーストラリアに持ち込まれていた可能性もある。

日本の外務省だけでなく一般の日本人も、一体なぜオーストラリアの政府や国民が、重罪を犯した移民の減刑をここまでして勝ち取ろうと奔走するのか、よく分からないのではないだろうか。少なくとも、自国民が外国で死刑になるということが、いかにオーストラリア国民の慈悲心を刺激するかが分かろうというものだ。

冒頭で紹介したグレステ記者のケースでは、彼が所属していたメディアが国内メディアであれば少しは理解できるものの、所属していたのは中東の衛星テレビ局アルジャジーラだ。オーストラリアのメディアでさえない。にもかかわらず、オーストラリアの外務省は積極的にエジプト当局に関わり、釈放されてからもグレステ氏の勇気を賞賛していた。

豪外相が釈放者と面会する

２０２３年10月には、約３年間中国で投獄されていた、中国系オーストラリア人ジャーナリストのチェン・レイ氏が釈放され、オーストラリアに戻った。この釈放は世界的なニュースにもなった。この件もまた、自国民保護という意味で、日本政府との体質の違いを如実に浮き彫りにする例である。

チェン氏は中国国際テレビのビジネスニュース番組のキャスターだったが、２０２０年８月に中国で突然拘束され、豪中関係悪化の象徴となった。中国で逮捕された理由は、国家機密を違法に外国に提供した疑いとされる。

釈放後、オーストラリアのスカイニュースのインタビューに応じたチェン氏はこのことについて聞かれ、「詳しくは言えない」として口をつぐんでおり、実際の容疑は明らかになっていない。

一方、ニュース報道業界には、当局などからの情報を解禁日時より前に報道してはいけないという協定がある。これを「エンバーゴ」と言うが、チェン氏はこのエンバーゴを「数分間だけ」

チェン氏に面会したウォン外相（左）〈豪外務省提供〉

破った微罪が使われた可能性があるという。

　拘置所内は劣悪で、暗く狭い空間に1日に12時間座り続けなければならない。空気の入れ替えと称して、1日15分間だけ上部の小窓が開かれたが、カーテンは常に閉じられたままだった。寝ても覚めても悪夢の日々だったという。

　実は個人的には、チェン氏の拘束期間が3年間で済んだのは、予想外に早かったという気がした。というのも中国は、19年1月にも同じくオーストラリア国籍を持つ作家のヤン・ヘンジュン氏を拘束し、スパイ罪で起訴している。ヤン氏については今も釈放されておらず、今後も長引く恐れがあるためだ。

　チェン氏が3年で釈放されたのは明らかに、オーストラリア連邦政府がチェン氏の解放を中国に熱心に働きかけており、アルバニージー首相が訪中するための事実上の「交換条件」的なケースになっていたためである（チェン氏釈放を受けて、アルバニージー首相は実際にその直後に訪中した)。

ウォン外相も帰国したチェン氏とすぐに面会し、「解放するためにオーストラリア政府は何でもすると家族に誓約していた。それが実現できて嬉しい」と話した。

お上に子供扱いされる日本人

一方で、チェン氏の釈放の件で、どうしても想起せざるを得ないのは、日本政府との違いである。対照的に思い出されるのは、日本の外務省が２０１５年2月に、危険地域とされたシリアへの渡航を計画していたフリーカメラマンの男性から、パスポートを取り上げたことだ。外務省はパスポート返納を渋る男性に対して、返納しないなら逮捕すると通告したとまで日本で報道されていた。

これに先立ち、日本人の湯川遥菜さんやフリージャーナリストの後藤健二さんがイスラム過激派組織に殺害された事件では、仕事で巻き込まれたというのに、日本国内では当初「危険地域に行ったのだから自業自得だ」という意見が噴出していた。国民には「日本で安全に暮らしているわれわれに迷惑をかけやがって」という意識があるようだ。

こうした日本の反応についてつくづく思うのは、日本の国民はお上に子供扱いされており、国民も子供であることを自覚している、ということである。

危ない所に足を踏み入れた子は罰せられるべきで、お上やご近所に迷惑をかける友だちは悪い子とみなす。悪い子は仲間外れにすべきだ、という幼児的観念である。

オーストラリアという国が持つ、「たとえ犯罪者でも国を挙げて自国民の尊厳を守る」というセンスは、宗教から来るのか、教育で培われるのかは分からない。だが、そのことは少なくとも国の結束力を高める原動力になっている。

コラム 「隠密剣士」の外交力

その国の伝統文化やサブカルチャーが、期せずして世界で絶大な外交力を発揮することがある。日本の場合は、アニメや漫画などだ。

筆者は大学生だった時に、エジプトのカイロに留学してアラビア語を学んでいた時期がある。エジプトではその頃、日本のドラマ「おしん」が大ブームになっていた。貧しくても健気に生きるおしんの生き方に、エジプト中が夢中になっていた。自分の娘に「オシン」と名付ける親も続出したほどだ。

エジプトで同時期にアメリカの軽佻浮薄な恋愛ドラマも放送されており、日本とアメリカの比較文化論にまで掘り下げられて、分析されたものだった。「おしん」は日本のイメージを格段に引き上げ、これ以上ないほどの外交力を発揮していた。

それと同じようなことが、実はオーストラリアにもあった。

筆者のオージー仲間のパーティーで、50代の友人の一人が、昔放送された「ザ・サムライ」というテレビ番組を知っているかと聞いてきた。

海外で人気だった古い時代劇だろうから、「子連れ狼（Lone Wolf and Cub）」か「座頭市（Zatoichi）」、はたまた「宮本武蔵（MIYAMOTO Musashi）」か、と想像して話を合わせようとしたがストーリーがまったく違うようだ。主人公は「シンタロー」だという。筆者が知らなかったため、彼は同年代のオージー仲間を集め出し、さながらチャンバラ談議となった。

彼らは昔話で「シンタロー、シンタロー」と、子供に返ったように目を輝かす。筆者がその場で検索したところ、日本のTBS系列で1962年から65年まで放送された大瀬康一主演の「隠密剣士（The Samurai）」という連続テレビ時代劇のようだった。

後で調べてみると、「大瀬康一」という役者が、主人公の「秋草新太郎」を演じた時代劇で、江戸末期の日本各地を舞台に、徳川家斉の異母兄である主人公が、世の中の平和を乱す悪徳な甲賀忍者集団と戦うストーリーである。時代劇でありながら、拳銃や潜水艇なども登場する斬新な内容で、日本でも大ヒットしたようだ。

これが、「ザ・サムライ」というタイトルでアジアやオセアニアを中心に海外でも放送されたのだ。オーストラリアのシドニーでは、チャンネルナインで第1回目が放送されたのは64年12月だった。それが大反響を呼び、メルボルンやブリスベン、パース、アデレードなどでも65年6月から次々に放送された（タスマニアでは放送されなかった）。これは、くしくもオーストラリアとニュージーランドで初めて放送された日本のテレビ番組だった。

「隠密剣士」は第10部（各12〜13話）で構成されていたが、チャンネルナインが第2部から放送したところ、番組の熱狂的なファンからテレビ局に手紙で要請が殺到し、後で第1部を放送することになったのだという。

●ビートルズをしのぐ熱狂ぶり

この秋草新太郎を演じた大瀬康一さんが当時、オーストラリアを訪れたことがある。件のオージーの友人によると、一目見ようとシドニー空港に行ったところ、シーツで作った着物やダンボールで作った日本刀を携えた、現在で言うコスプレ姿の熱狂的なファンにもみくちゃにされる大瀬さんを見たそうだ。

当時のことを記したファンサイトによると、なるほど確かに大瀬さんは65年12月に、大規模な実演イベントを行うためにシドニーとメルボルンを訪れている（当初はシドニーだけだったが、メルボルンからの「圧力」に負けて2カ所で行われたのだとか）。

大瀬さんは地方巡業の一環のつもりで訪れたのだろうが、空港に降り立つその時まで、数千人が集まった現地の大騒ぎを知らなかったという。それはビートルズが来豪した時をしのぐほどだったというから、その熱狂ぶりが伝わろうというものだ。

「隠密剣士」は、60年代にオーストラリアで放送された中で最もセンセーショナルを巻き起こしたドラマであり、当時育ったオージーで「シンタロー」を知らぬ者はいないという。

●「隠密剣士」の貢献

さて、これらのエピソードを聞いて思ったのは、オーストラリア人やニュージーランド人の概して親日的な性分は、「隠密剣士」が経済発展期の国民に刷り込んできたイメージが貢献しているのだろう。

60～70年代の日本人が、アメリカのホームドラマに憧れを抱いたこととも似ているし、現代の日本のアニメが世界を席巻して、日本への好意的イメージを作っているのと同じかもしれない。

またそれは、現代のオーストラリアのテレビでは、日本のテレビがオーストラリアの話題を扱うよりもはるかに多く、日本の話題を扱っていることとも無関係ではないだろう。もしも当時、英国やアメリカ、他の欧州で「隠密剣士」が放送されていたら、世界での日本の地位はさらに高まっていたかもしれない。

●60年代の日本ブーム

ところで経済の話になるが、日系企業によるオーストラリアやニュージーランドでの貿易活動が活発化し始めたのは19世紀末である。現在から見ると意外なことだが、日本は当初オーストラリアに米などを輸出し、オーストラリアは日本に羊毛を輸出していた。

こうした貿易の発展を受けて、１９５７年に最初の日豪通商協定が締結されている。62年には三井物産が、日系企業として初めてオーストラリアでの炭鉱ＪＶに出資し、それからオーストラリアから日本向けに怒濤のような資源輸出が本格化した。

「隠密剣士」の熱狂ぶりに合わせ、オーストラリアの産業界でも日本ブームが幕を開ける時期だったのだ。

日本のひとつの時代劇が、経済発展真っ盛りのオーストラリア人の心をときほぐして夢を与え、半世紀にわたって彼らの記憶にとどまり続ける。「隠密剣士」の類いまれな「外交力」に、現在の外交下手な日本政治を横目に眺めながら、感嘆している。

第6章

景気低迷は政府の経済失策となぜ見ない

オーストラリアは通常5年に一度、国の経済政策の方向性を示す「世代間報告書（ＩＧＲ）」を発表する（これについては第9章で詳しく説明する）のだが、23年版の発表の際に、チャルマーズ財相は興味深いことを述べた。

同財相は、「我が国は現在、『生産性の低下』や『経済成長の鈍化』『生活水準の下落』の３点が問題となっており、大胆な改革に取り組まない限り、我が国の若年層は所得の伸び悩みに苦しむことになるだろう」と国民に警鐘を鳴らしたのだ。

それはまさに日本のリーダーが日本について警告すべき内容ではないか。確かにオーストラリアでは近年、その3点が懸念されてはいる。だが、日本に比べればまったく問題ないレベルだ。しかも日本では、警鐘を鳴らすリーダーはいない。

そこでこの章では、日本政府の経済政策について、オーストラリアの経済政策とも比べながら述べてみたい。大事なことなので、あえて細かい数字も交えて話してみよう。

コロナ禍での日豪の舵取りの違い

海外から見て、日本企業の技術力や労働者の勤勉性などさまざまな要素を考えれば、バブル崩壊直後の１９９０年代から景気低迷が約30年間も続いているというのは、政府が国内経済をうまくコントロールできていないとしか言えない。特に、コロナ禍での経済政策は目も当てられなかった。

世界では、コロナ禍による景気不安から多くの国が減税に踏み切ったが、日本も景気が一向に上向かないのに、コロナ禍前に消費税を上げた状態を続け、海外から不思議がられていた。

しかも、自民党政権が防衛力整備で増税を公約した後の２０２２年７月の参議院議員選挙では、いつもながら自民党が過半数を上回る圧勝を見せていた。ということは、国民自身が増税を選んだのか？　先進国の中でも、最も経済が低迷し、国民生活が困窮し続けているというのに？　外国人としては、本当に理解しがたい気分で見守っていた。

例えばオーストラリアでは（世界各国でも同じだが）、ある政党が消費増税を公約に掲げたら、選挙ではよほどの説得力がない限りまず勝てないだろう。

オーストラリアの２０１９年の総選挙では保守連合が勝利したが、それは当時のモリソン政権が、減税を公約として掲げ、それが国民に評価されたためであるのは疑いようがない。ちなみにその減税策の中身は、総額１５８０億豪ドル（約12兆円）規模という巨額の所得税減税で、第一段階として、約１０００万人に上る低・中所得者層がそれぞれ最大１０８０豪ドル（約８万２０００円）の払い戻しを受けるというものだった。

これは国内総生産（ＧＤＰ）がオーストラリアの3倍になる日本に当てはめると、毎年３・５兆円分の減税を10年間続けることに相当する。不況ではないオーストラリアにあって、どれだけ大きな減税か分かるだろう。

停滞を続ける日本と、経済が好調なオーストラリアでは、コロナ後の国内政策面での舵取りで、一体何が違ったのだろうか。

まずオーストラリアだが、コロナ禍からの経済回復ペースの早さには目を見張るものがある。航空産業をはじめ観光業や留学産業などが壊滅的な打撃を受けたというのに、コロナ禍末期の2021年第1四半期（1〜3月）の国内総生産（GDP）の伸びは、市場予測を上回る前期比1・8％増となり、海外から見るとため息が漏れる高水準だった。

国民の消費だけでなく、企業による民間投資が5・3％増加してGDPを押し上げ、経済復興をけん引した形だ。まるでコロナ禍など、かすり傷だったかのような印象だ。

豪労働者の6割が受給者

こうした経済回復ぶりの背後にあるのは、コロナ禍を通じて、国民が受ける経済的痛みを最小限に食い止めようとした、連邦政府の手厚い支援パッケージだ。

オーストラリア政府は、給与補助の「ジョブキーパー」、失業者支援の「ジョブシーカー」、住宅改修支援の「ホームビルダー」といった直接的な支援パッケージを充実させた。その規模は、実に約2500億豪ドル（約20兆円）に上った。

オーストラリアのGDPが約1兆9000億豪ドルなので、GDP総額の約13％を国民に「直接配布した」ということになる。

ジョブキーパーは当初、毎回1500豪ドルを支給。ジョブシーカーは特別給付金に上乗せし、計716豪ドルを支給した。これは1回限りでの給付ではなく、いずれも2週間に1度ずつ給付する額だ。

オーストラリアの人口は約2500万人だが、労働人口は1307万人いる。そのうち、ジョブキーパーを受給した労働者は一時380万人に達したほどだ。

さらに25～34歳の若年齢で見ると、2021年1月までの1年間で、若年齢手当などを含めて何らかの生活補助金を受けていた割合は約50％だった。エネルギー溢れる若者世代の2人に1人が生活補助金に頼ったのだ。その上、ジョブシーカーの受給者190万人を含めると、労働人口の60％近くが受給者だったという計算になる。

一定期間アルバイトをしていれば、高校生（！）や大学生などまでが受給対象となったため、「ジョブキーパー成り金」となる若者たちも続出していた。しかも、そのことが社会問題にさえならなかった。

この驚くべき大盤振る舞いは、連邦政府による政府債発行を急激に増やして対応した。これにより、連邦政府の累積債務額は、コロナ前は3700億豪ドルだったのが、6175億豪ドルまで増加し、対GDP累積債務比率は、19年の47・5％から、22年には77％にまで拡大した。

それでも、こうした大盤振る舞いが、前代未聞の危機にある中で経済を下支えしたのは疑いようがない。

当時の失業率は5・5％（21年4月）と6カ月連続で改善し、倒産件数も増えなかった。当時のフライデンバーグ財相は「我が国経済は、コロナ流行前の水準よりも大きくなった」と自負していた。コロナ禍を見事に乗り切ったと称賛できる。

乏しい日本のコロナ支援金

その一方で、コロナ禍で沈滞した日本の状況は嘆かわしい限りだった。2021年第1四半期の実質GDP成長率は前期比マイナス5・1％と、大方の事前予想を大きく下回った。同時に発表された20年度の成長率も同マイナス4・6％と、2年連続のマイナス成長になった。これは1995年以降で最大の下落幅だった。

雇用への圧力が厳しくなっているのは、コロナ禍でも雇用が改善したオーストラリアとは対照的である。だが日本政府も、コロナ支援は行った。

日本政府は当初、コロナ関連の「事業規模」が108兆円とGDPの20％に相当する過去最大規模だと自負していた。確かに欧米ではGDPの10％程度で、ニュージーランドは4％、オーストラリアでさえ17％程度だった。

だがコロナ関連の支出は臨時支出なので、純粋に充てられるべき「真水」予算は補正予算のはずである。日本政府が第3次まで組んだ補正予算を合計すると、約70兆円だった。しかし、コロナとは直接関係のない事業費も紛れ込んだのが日本のコロナ予算の特徴で、純粋にコロナ関連補助金のGDP比率は3％程度だった。

日本政府が直接的に個人に給付したのは、「緊急定額給付金」（全員に1人10万円）や、「住居確保給付金」（条件付きで最大約7万円）などだったが、わずか1回限りの給付だった。月に26万円を半年間も支給したオーストラリアとは、その効果は大きく違うだろう。

一方、日本では「雇用者調整助成金」など、企業向けの支援金も複数あったものの、売り上げ減少幅の条件や手続きなどが非常に複雑で、なかなか助成金が届かないという事態にもなっていた。オーストラリアが、コロナ禍からわずか1カ月程度の間に、早急に矢継ぎ早に打ち出した、シンプルで分かりやすい支援策の数々とは雲泥の差だった。

また、日本政府は18歳以下の子供に10万円相当の給付をしたが、給付の方法を「全額現金」か「クーポン」にするか国会で延々と審議していたので、呆れた。国会議員がそんな現場のことまで決めていたらきりがない。さっさと自治体に任せれば済むことだ。先進国の国会の場では、そんなことは議論の対象にさえならない。しかも半年以上給付するというのではなく、わずか1回限りの給付にすぎなかった。

日豪のGDPの伸びの違い

ここであらためて、オーストラリアと日本の国内総生産（GDP）総額の近年の推移を見ると、その違いがよく分かる。

世界銀行の統計によると、22年のオーストラリアの名目GDPは1兆9680億豪ドル（約166兆円）。これは1997年時から約3・5倍に拡大している。

一方、日本の22年のGDPは約539兆円と、97年の約543兆円から、なんと逆に減ってている。25年も経っているのに、まったく経済が成長していないということだ。これが世界から「日本の失われた30年」と言われる所以だ。日本はいったい何が問題だったのか。

興味深いことに、個人消費がGDPに占める割合は約50％程度で、オーストラリアと日本はほとんど同じだ。日本は、輸出が大黒柱の国だと思われがちだが、オーストラリアと同じく、GDPを支えているのは最終的な個人消費である。だからこそ、パンデミックのような経済危機に見舞われた際には、都市をロックダウン（封鎖）しても、個人消費だけは落ち込ませない政策が必須になる。オーストラリア政府がGDPの13％という巨額を投じて、給与補助制度のジョブキーパーなどで国民に軍資金を直接配布したのはそのためである。

ところがなんと、日本は対照的に、国民に対して有効なコロナ対策を打ち出さなかった。26

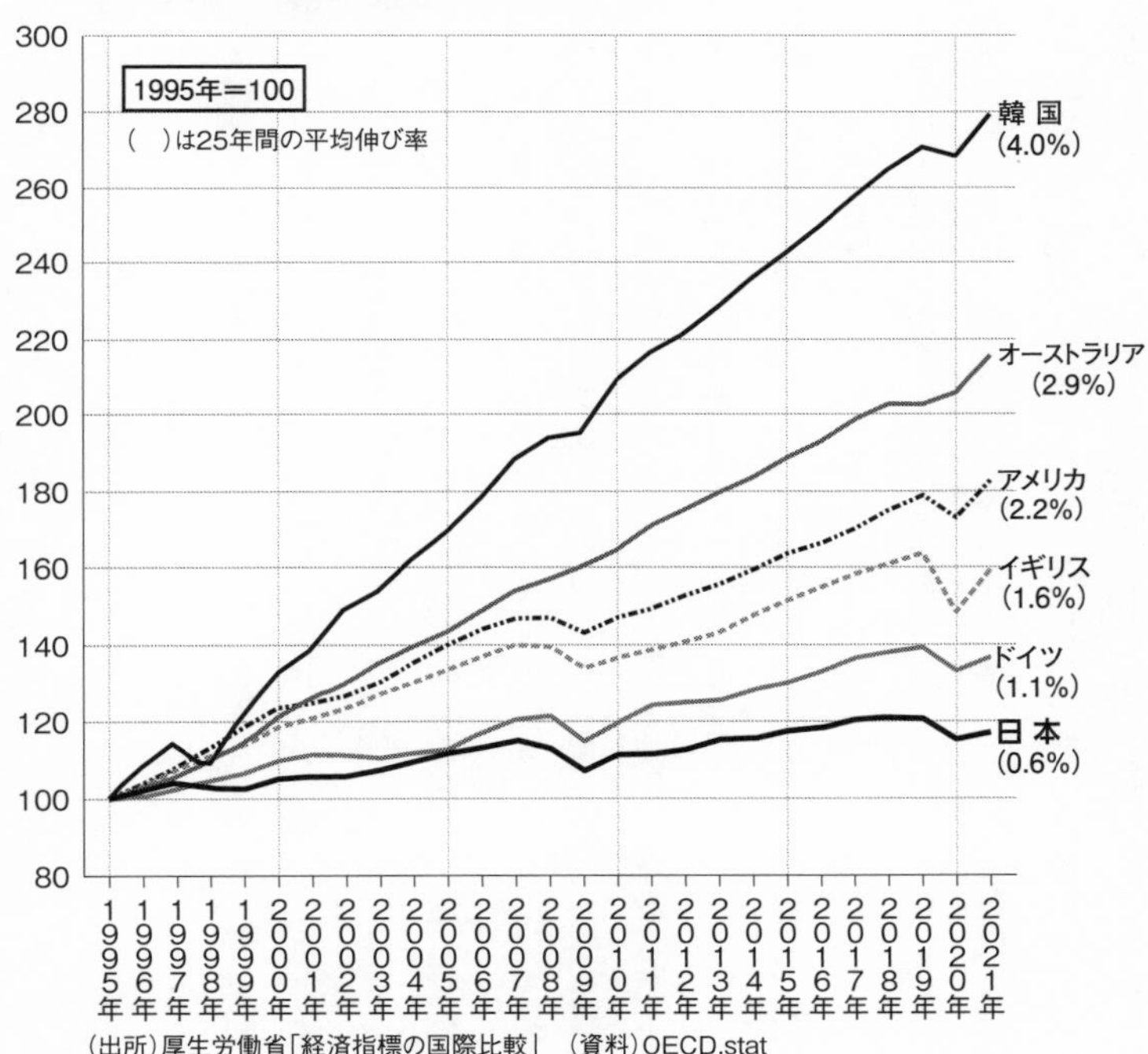

（出所）厚生労働省「経済指標の国際比較」　（資料）OECD.stat

0億円（当初計画は466億円）も費やした「アベノマスク」などは、まるで発展途上国の政策のようだった。

不況期に増税してきた日本

振り返ると、この20数年間、日本政府はなぜか国民の消費力を衰弱させるようなことをしてきた。

近年では、その最たるものが2019年10月に消費税率を８％から10％に引き上げたことだ。この時は、日本人は、官僚や新聞・テレビの言うことに従順な国民なのだなと痛感させられた。

そもそも消費税が導入された89年から、22年には消費税収は約6倍に増えているが、法人税収はその間で半分に減っている。要するに、法人税の減収分を一般消費者が埋め合わせてきた形だ。

19年には米国や欧州、アジアを含めた世界各国では、景気回復のために減税に踏み切る国が後を絶たなかった。その中で、同じように景気が一向に上向かない日本は、逆に増税しようというのだから、実に不思議な国だと思ったものだ。

オーストラリアは当然ながら、国民が政府を選ぶ。選挙でモリソン首相が政権を維持できたのは、減税公約が国民に評価されたというのは疑いようがない。

また当時の米国のトランプ大統領は、法人税率と個人所得税の最高税率を大幅に引き下げ、10年間で1・5兆米ドル（162兆円）の大型減税を断行した。さらに規制緩和も進めた結果、企業の業績は伸び、設備投資も増えて賃金も上昇した。

また中国でさえも、19年3月に2兆元（約32兆円）規模の減税を柱とする景気対策を打ち出していた。欧州各国も同じで、英国やフランス、イタリアなどが軒並み減税に舵を切っていた。

一方、日本は不況の中で逆に増税してきたのだ。

実質賃金が上昇しさえすれば、生活水準が落ちることはない。だが日本の場合、実質賃金は1997年4月に消費税を5%に引き上げて以降、低落傾向に歯止めがかからず、なんと97年から十数%も落ち込んでいる。国民の実質賃金が下がり続けている時に増税すれば、消費がどうなるかは明白だ。

内閣府による消費総合指数の推移を見ると、過去10年で消費が極端に大きく落ち込んでいる時期が3回ある。リーマンショックの２００８年9月、東日本大震災の11年3月、そして消費税を5％から8％に引き上げた14年4月だ。消費税率の引き上げは、世界の金融危機や、大災害が起きた時のような激震を引き起こす巨大なマイナスパワーを持つわけだ。

そもそも財務省は、消費税を10％に上げると、５・６兆円規模の税収増が見込まれると皮算用していた。が、実際はその半分の約２兆６１００億円の増加にとどまっている。

大企業の消費税還付金

過去を振り返ると、日本で消費税が導入されたのは１９８９年4月。この年の消費税収は３・３兆円を計上し、一般会計の税収は54・9兆円になった。

だが消費税導入以来、逆に日本の税収は減り続け、一時38・7兆円にまで落ち込んだ。その後持ち直し、２０１7年度にはようやく59・1兆円にまで回復したものの、ほとんど税収増にはつながらなかった。消費税を導入してからこの約30年間、段階的に税率を上げ続けたにもかかわらずだ。その間、ＧＤＰの伸びもほとんどなかった。

消費税増税を論じる際に、増税しない場合の財源をどうするかという指摘がある。日本の場合、これまで消費税増税に伴って、所得税の最高税率や法人税は逆に下がってきた。ほかにも大企業向けの租税特別措置がある。これらの大企業、富裕層を優遇する制度を止め、消費税増税前に戻すだけで20兆円が確保できるとの試算さえある。

日本では、大企業が政府と政策的に癒着しており、両者が同じ立場に立つことが多い。大企業主体の経団連（日本経済団体連合会）は、消費税導入に賛成だった。十倉雅和会長は2023年5月の会見で、「（少子化対策の財源に）消費増税を検討すべきだ」と堂々と述べている。10％に上げたばかりだというのに、もっと上げろと言うのだ。

日本の大手輸出企業が消費税に諸手を挙げて賛成するのは理由がある。これはおそらく、輸出戻し税と呼ばれる消費税還付金が関係しているのだろう。海外に輸出した分の売り上げには消費税がかからないため、輸出企業が納める消費税の算出では、売り上げから仕入れに含まれる消費税分が差し引かれて還付される仕組みになっている。

国内で消費する分ではないのだから還付の理屈は理解できるが、問題は2019年の消費税引き上げで、売り上げが減少したのにもかかわらず、消費税の還付金が逆に増えた大企業が多いことだ。

その仕組みはこうだ。例えば大手企業の下請けや仕入れ先企業は、大手企業との力関係から、消費税の2％の増税分をそのまま大手企業向けの販売価格に転嫁できないケースがよくあるという。それでも税務署は、仕入れ額に対する消費税分を大手企業側が払ったものと「みなして」、大手企業に還付することになる。大手企業は、下請けに払わなかった消費税分まで税務署から還付されるので、実際の消費税支払額よりも受け取る還付金のほうが多くなるというわけだ。

豪やニュージーランドは実質的な減税

コロナ禍で、日本でも一部の与野党議員が税率を８％に戻すよう主張していたが、それもしぼんでしまっている。

日本政府が方向転換もせず傍観したままなのは、官僚の「無謬性の論理」で、いったん10％に引き上げたものを元に戻すことはできないからだろう。元に戻すということは、政策が間違っていたことを示すことになり、役人や政治家の責任問題になるからだ。

何よりも２０１９年当時、政調会長だった岸田首相も、消費税10％引き上げの旗振り役をしていた。そして日本の政策立案過程は非常に硬直しており、予定調和を維持することばかりに重きが置かれ、臨機応変には対応できない。

また、新聞やテレビが減税を主張することも、そういう政党を応援することもない。それどころか朝日新聞などの大新聞も、財政立て直しの観点だけから消費税増税を支持してきた。新聞社は消費税の軽減税率（８％）を適用されているので賛同していたこともあるのだろうが、国民が素直に従う片棒を担いだともいえるだろう。

日本の大手新聞やテレビが霞が関の意向にたやすくコントロールされてしまう例は枚挙にいとまがないが、増税は国民の懐に直結するだけに影響は大きい。

世界各国が減税して景気を底上げしようとする中で、日本人が疲弊しているのに、一体なぜ日本政府は、弱くなったたき火に水を浴びせるようなことをするのだろう。そして誰も反発しない。外国人の目から見ていると、すべてが理解できなかった。

ちなみにオーストラリアの場合、10％の消費税（ＧＳＴ）は２０００年に導入された。だがこれは、それまでの卸売税や、各州政府が独自に課していた諸税を撤廃する代わりに導入したものである。しかもその消費税の税収は全額、各州政府に配分されるため、大きな反発もなかった。

隣のニュージーランドは、２０１０年に消費税が15％に引き上げられた。だがこの時、同時に所得税が減税され、実質的には大幅な減税となった。

国民の疲弊に頬かむりして、政府や霞が関、そしてメディアがどこ吹く風という不可解な事態を、筆者はもう30年近く日本で見ている。

日本の消費力を下げ続けた政府

実際の賃金から物価変動を差し引いた「実質賃金指数」の国際比較を見ると、事態は分かりやすい。

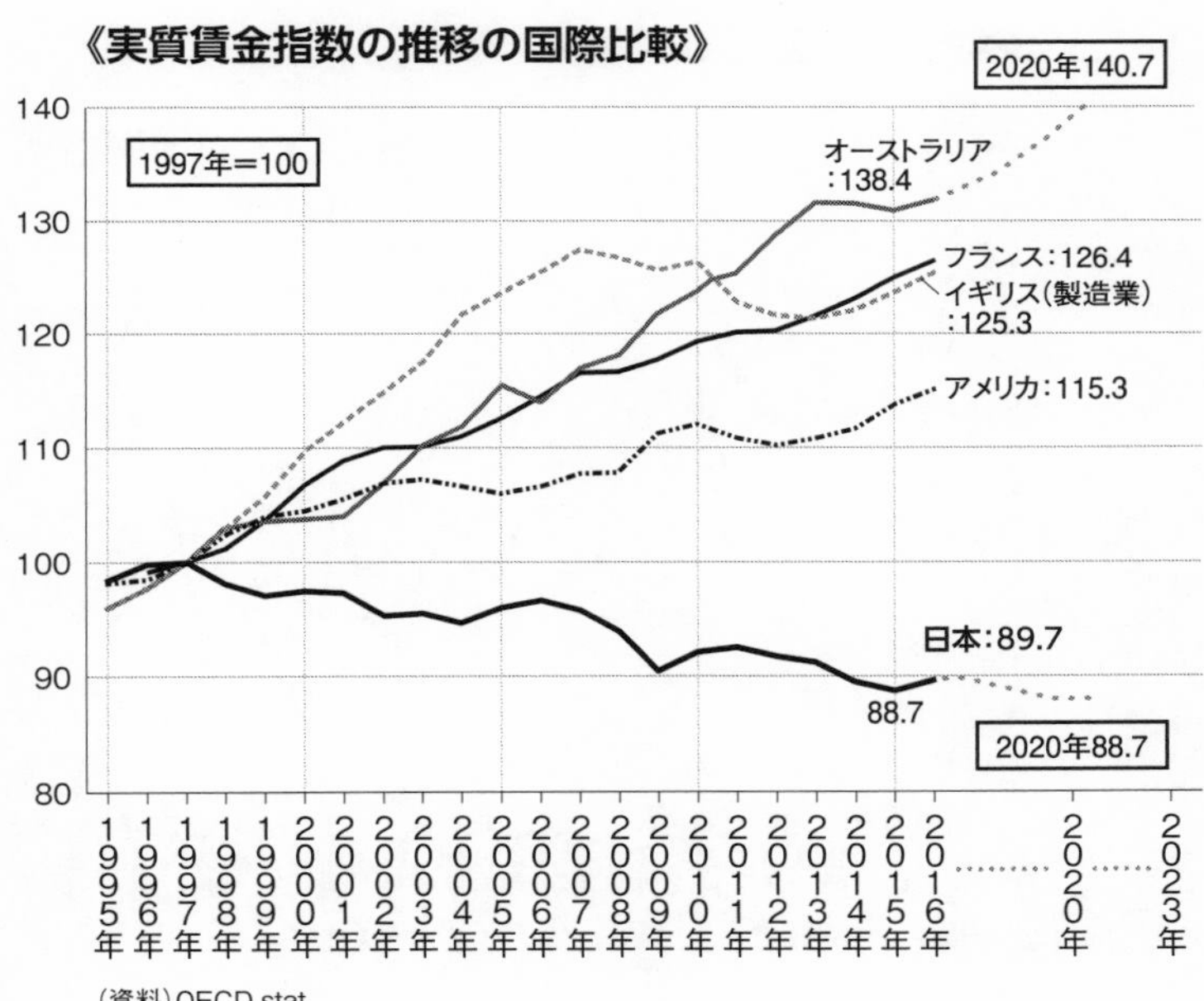

（資料）OECD.stat

1997年を100とした場合、オーストラリアは2020年に140・7と、他国同様に大幅上昇しているのに、日本は88・7と逆に10％以上も下がっている。

実質賃金は、国民の消費力そのものである。物価が上がっても実質賃金さえ伸びれば問題はない。しかし、これが下がるということは、当然ながら物やサービスの消費が減り、メーカーの生産高や小売企業の売り上げが落ち込み、輸入も減少し、さまざまな分野が弱体化し続けることになる。日本政府は、これを20年以上も放置してきたのだ。

オーストラリアでは、Fair Work Commission（フェアワーク委員会）

《日本の消費者物価と実質賃金の伸び率》

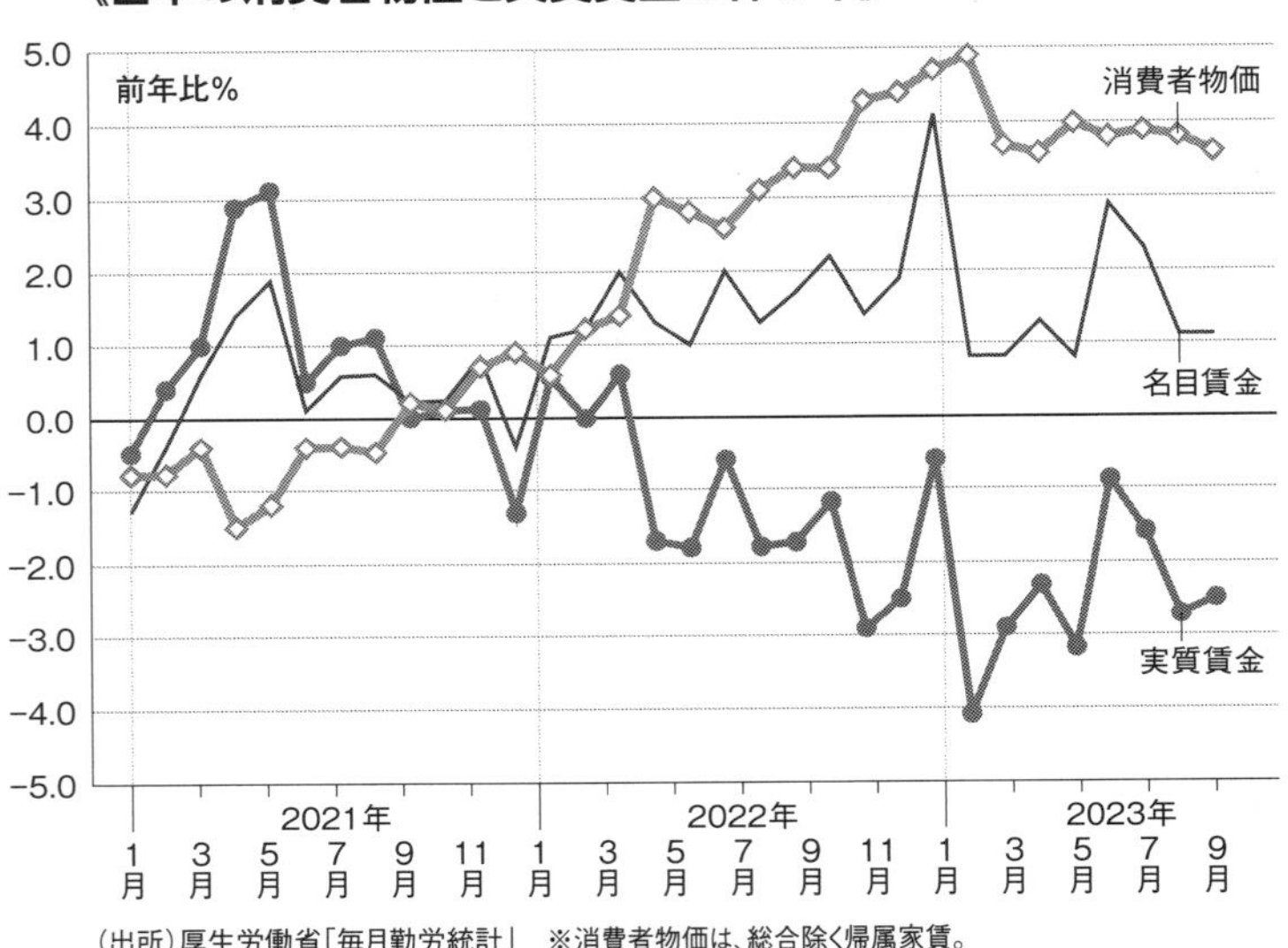

（出所）厚生労働省「毎月勤労統計」　※消費者物価は、総合除く帰属家賃。

と呼ばれる機関があり、雇用者と労働者間のルールを決めている。このフェアワーク委員会が最低賃金の見直しを毎年行うことになっている。

２０２３年7月現在のオーストラリアの最低賃金は、時給23・23豪ドル（約２２３０円、１豪ドル＝約96円）だ。日本で最も高い東京都が１１１３円なので、オーストラリアは日本の倍以上になる。だが、これはあくまで最低賃金なので、オーストラリアで日本円で３０００円以上の自給はザラにある。

また、年間の平均給与で見ると、オーストラリアの正規雇用者は約9万２００0豪ドル（874万円、２０２２年５月）、パート労働者なども含めた全体の平均給与は約6万９９００豪ドル（６６

4万円）だ。年収で見ても、日本の倍以上あることが分かる。

筆者の周囲でも、高級レストランの皿洗いのバイトをした知人の子供は、一時、時給90豪ドル（約8600円）で働いていた。普通の小売店でも、日曜勤務だと時給60豪ドル（約5400円）というのもある。これは、日給ではなく時給の話だ。

そのため近年は、日本から出稼ぎ目的でワーキングホリデーを利用しオーストラリアに渡る若者が急増しているようだ。


こうした日本の状況を考えると、この先に懸念されるのは資産デフレが進行し、不動産などが海外に買われやすくなることである。さらに、日本の優秀な若い技術者が、日本よりはるかに賃金水準の高い諸外国に流出する。この傾向は現実に起きている。

社会的に弱い立場の人というと、日本ではひとり親世帯が挙げられる。これがオーストラリアでは、コロナ禍で毎月のひとり親に対する生活保護補助金に「加えて」、追加支援金として月300豪ドル（約2万8500円）を給付していた。筆者のシングルマザーの知人は、申請もしていないのに自動的に支援金が口座に振り込まれたと感心していたほどだ。

日本ではコロナ禍で、生活困窮者のための一時支援金の追加が発表されたが、それも生活保護受給者は「除外する」など、さまざまな条件が課せられた。

普段、生活保護の申請をするのでさえ、役所の窓口に行くと「まだ自分で働けるだろう」「頼れる親類はいないのか」などと詰問されて申請を拒まれ、できる限り振り落とされるらしい。日本の地方の街を歩けば、閑散としたシャッター街が目につき、地方経済を支えていた零細企業や小売店が、政治や行政の犠牲となって年々衰退していく様子を目の当たりにする。日本の消費力、つまりGDPが伸びないのは必然だという気がしている。

両国の違いの背後にあるもの

日豪両国で、この違いの背後に何があるのだろうか。

少なくとも言えるのは、日本の与党政治家や霞が関が、大企業ばかりに目を向け、羊のように従順な国民には寄り添わないことである。弱者をどこかで蔑視している風さえある。国民を救うリーダーシップではなく、強者の驕りの姿勢が、明らかに日本の予算や政策に表れている。

オーストラリアでは、毎年5月上旬に発表される新年度予算案の中身は、国民にじっくり吟味される。オーストラリアの新年度予算の報道のされ方は、日本人には新鮮に映るだろう。財務相は、予算案を発表する日には、自分の家族を国会議事堂に連れてきてその晴れ姿を見せるほどだ。予算案を発表した夜の公共放送ABCテレビのニュースには、専門家が予算内容を解説するだけでなく、一般市民も登場して、首相の新予算案について一喜一憂している。5月が近づくと、新聞やテレビメディアは新年度予算案に何が盛り込まれるか、それが適切かどうかなどを競って報道し、政府にとっても国民一人ひとりにとっても、予算案発表はオーストラリアの一大イベントとなっている。予算案に対する国民の評価が厳しい場合は、首相のクビが飛ぶほどだ（前述したようにアボット元首相は、これがきっかけとなり首相の座を追われた）。

日本の予算内容を日本の国民は知らない

ところが日本では、政府の新年度予算に、国民は関心がないかのように見える。いつ発表されるのかさえ、大半の国民は知らないに違いない。毎年の予算が国民に審査されることもまったくない。霞が関が決めたことは正しいと言わんばかりで、新聞やテレビは、そのまま追従しているだけだ。

日本の予算の決め方では、霞が関の各省庁が前年にならって、8月にまず概算要求という基本的な予算要求額を作成する。それを政権与党の部会が検討し、財務省と折衝し、政治家が口を出したりして、徐々に予算がボトムアップ方式で練り上げられていく。

要するに、予算を作るシステムが縦割りの省庁主導で、国民が選ぶ政治家が主導したものではない。でき上がった予算内容が、国民に大々的に発表されて審判を受けるシステムにもなっていない。すべて国民の知らぬうちに決められていく。これでは国民が関心を持ちようがない。

しかも、特にバブル崩壊以降のデフレ経済下では新しい政策を実行しようにも予算がないケースが多くなった。そこでトップダウンで政策の優先順位を付けるため、政治家主導で調整しなければならない。しかし、これまではボトムアップで官僚に予算編成を丸投げしてきた上に、特に与党の政治家は利権で動いていた政治家が多く、経験も知識もない。首相や閣僚にはリーダーシップもない。

その中で各省庁は、省益を拡大しようとして官僚間の調整が手間取ることになり、よって事態が停滞することになり、改革は進まない。

天下り先にもなる公益法人天国

また日本では、政府機関の統廃合が進むどころか、行政構造改革を実現するのは至難の業である。日本は、国債や借入金を合わせた「国の借金」が2023年時点で1270兆円という天文学的な数字に膨れ上がり、さらに毎年拡大しているというのに、政府機関の統廃合など行財政改革は進んでおらず、その意思もない。

かつて民主党が財政改革を目的に、公益法人や事業などを精査した事業仕分けを行ったが、改革はほとんど進まなかった。事業仕分けは判定に過ぎず、予算削減を行う強制力がなかったために公益法人などの数はほとんど減らず、逆に焼け太りした事業まである。

民営化すればいいというが、郵政ひとつの民営化でも10年以上かかっている。そこで働く公務員の身分は保障されていて、オーストラリアのようにバッサリと切ることもできない。

公的機関の統廃合も進まない。例えば厚生労働省管轄で同じ事業を持つ2つの審査団体について、事業仕分けで統合が提案されたにもかかわらず、厚労省が統合検討を放置しているとメディアで糾弾されていた。国は社会保障のために増税に踏み切り、厚労省は無駄の削減を先送りしているわけだ。この2つの審査団体は、天下りを多く受け入れていた。

全都道府県をコントロールする中央省庁

日本政府は「人事交流」という名の下に、都道府県や市町村に国家公務員を派遣している。よくあるパターンとしては、キャリアの国家公務員が都道府県の副知事や税務署の署長、もしくは警察本部長などとして派遣されるというものだ。

まだ20代の若手キャリア官僚が、県警の事件担当課長に派遣されることも定例化しているし、どういうわけか、外交官であるべき外務省のキャリア官僚が、地方警察トップの県警本部長に派遣されるというパターンさえある。

筆者もある都道府県の警察取材に携わったことがあるが、世間知らずで息子のような歳のキャリア官僚が上司としてやってきて、せいぜい2年で本省に帰っていく。若手キャリア官僚は特権意識を持つようになるだけだ。叩き上げの中堅幹部の間では、声を潜めて「バカ殿」と陰口をたたく声も多かった。

いずれにしても、国が国家公務員を通じて全国の都道府県の財政、警察、教育などあらゆる分野をコントロールし、日本全土を統治する仕組みが出来上がっている。そのため全国の都道府県では、ほとんど同じような政策ばかりが実施される。どこに行っても、同じような箱モノが並ぶ風景が出来上がる。

全国的に同じ生活水準を享受するという戦後日本の目標は達成したが、50年以上続くこの日本統治システムは、地方による政策の独自性や自由闊達な土着の文化をそぎ落としているといえる。

小規模企業では生き残れない日本

ところで筆者の周囲のオーストラリア人は、自宅で仕事をしている比率が非常に高い。確かにコロナ禍の影響で在宅勤務が増えたが、オーストラリアではそれ以前から在宅勤務は多かった。しかも会社勤務のサラリーマンが少ないのは、日本の状況とは大いに異なる。このことはよく考えてみると、個人事業や小規模企業に対する両国社会の受容度の違いだと思っている。

オーストラリア統計局（ＡＢＳ）のデータによると、オーストラリアで20人未満の小規模企業の数は約１３０万社。これは民間企業全体の実に約97％を占める。オーストラリアの就労者数全体で小規模企業の労働者が占める割合は49％に上るので、労働者の半分が小規模企業で働いているわけだ。

このことからも、オーストラリアで、個人で事業を営む人や家族経営の企業などがいかに多いか想像できる。筆者の友人の中には、個人投資家もいるし、フリーのジャーナリストもいる。変わった業種では、家族が留守にしている際にその家に住むだけの「ハウス・シッティング」を生業にする人もいる。

一方で、日本はどうだろうか。同様の調査『中小企業白書』によると、日本でもオーストラリアと同じように小規模企業を「20人以下の事業体」と定義しており、その数は約３６０万社ある。これは民間企業全体の87％を占める。オーストラリアの97％と比べると10ポイント少ない。が、企業の圧倒的な割合を占めるという点では似ている。

しかし、日本がオーストラリアと明らかに違うのは、日本の小規模企業の労働者の割合で、わずか21％だ。オーストラリアの半分にも満たない。しかもその割合は、２００６年当時の25・6％から４・６ポイントも減っている。小規模企業が生き残りにくくなっていることがうかがわれる。

起業の選択肢は日本にはない？

日本でベンチャー企業に関するシンポジウムなどがあるたびに、「日本は起業家が尊敬されない社会だ」と指摘されてきた。その背景には、「寄らば大樹の陰」という伝統的観念が普及していることがあるが、事業の失敗を受け入れない社会風潮なども挙げられるだろう。

そのため、日本では大学生などが就職活動をする際は、自分の専門分野や関心で就職先を探すというより、できるだけ名の知れた、大きな企業を志望する傾向が圧倒的に強い。そもそも教育が、大企業への入社を果たすことが最終目標になってしまっており、そこにたどり着くまでの過程に、高校や大学などの受験があるとも言える。

オーストラリアや欧米ではよくある、卒業したら友人と一緒に起業するという選択肢は、日本の新卒学生の間では、よほどのことがない限りあり得ない社会になってしまっている。

日本が起業家を育てないもっとも大きな理由は、個人で起業することを困難にするような規制が多すぎることだ。

筆者は数年前、日本で合同会社を設立したことがある。自分で役所や銀行の手続きをしようとしたが、銀行や役所での書類手続きの煩雑さに途方に暮れた。

法人口座さえ外国人ではなかなか開けず、3行以上の銀行に断られた。このオンライン全盛の時代だというのに、何度も銀行や役所を行き来し、会社のハンコも3種類作らされた。ほとほと困り果てた結果、自分で手続きするのを諦めて、最後には行政書士を雇って代わりに手続きしてもらわねばならなかった。

これでは、学生が簡単に起業しようという意欲を失いかねないし、ましてや外国人が日本で事業を起こそうというのは並大抵のことではない。

岸田首相は２０２３年9月にニューヨークで講演し、日本の資産運用業界に海外からの参入を促すために「資産運用特区」を設けると表明していた。英語で行政手続きをできるようにするなど、外国人を呼び込む環境を整えるのだそうだ。

だが、何を今さらそんなことを言っているのだろう、と筆者は呆れた。しかも問題は英語だけではない。呆れるような規制が日本には山ほどある。日本の制度は、自ら海外からの投資を遠ざけているのだ。

例えばオーストラリアであれば、ＡＢＮと呼ばれる個人事業者ＩＤを取得するのはメール一本でできるほど簡単だ。それは他国でも同じだ。筆者の友人に、シドニーの自宅の一室を使ってベビーケアのビジネスを始めた主婦がいるが、こうしたことは筆者が過去に滞在したアジア各国でも同様に見られた。

ところが日本では、後述するように、待機児童が社会的問題になり少子化が深刻になっているというのに、規制が多くて個人ではそうした託児所ビジネスはなかなか始められない。

母親も働かなければならないのに、子供を預ける場所もない。それではますます若い夫婦は子供を産まなくなり、日本の人口減につながるという皮肉な悪循環になっているのだ。託児所が近所で容易に見つかるという安心感があれば出生率が高まり、主婦などの女性の雇用促進にもつながるのは明らかだろう（これについては9章で詳しく述べる）。

自動車シェアサービスのウーバーもその典型で、学生を含めて、空いた時間でいつでもお金を稼げる。海外では、社会のニッチな需要を個人起業家が埋められる仕組みになっている。

ウーバーは日本の地方経済の救世主になる可能性さえある。交通機関が整っていなかったり、車を持っていないとか運転手がいないために、人の移動が活性化されていない日本の地方はごまんとある。人が移動しないということは、人がなかなか消費しないということだ。それではGDPが伸びるはずがない。ウーバーの運転手は免許さえあればだれでも始められるので、地方の雇用対策にもなる。

政府はタクシー業界の既得権益を守ろうとしているのだろう。タクシー業界が困ると言うが、それは限定的だ。例えばオーストラリアで乗るタクシー車両は、ウーバーの車としても利用されている。その結果、地域内で車の需要が飛躍的に高まり、市場自体が拡大する。実際に他の国々ではそうなっている。世界の各都市にはウーバーのような代車サービスが複数あるが、そうしたサービスが地方や定時で働けない人々の雇用創出に役立っていることは証明済みだ。

日本全体に大企業信仰が蔓延し、大企業に入ることばかりが持てはやされて、起業家は尊重されない。日本政府も岩盤規制を守り続けて、何十年も構造改革を先送りしてきた。これでは日本経済の活性化は見込めないと断言できる。これも、お上に従うのが最善の道で、自分で自分の道を切り開くという独立精神が、教育制度で育まれてこなかったからだろう。

第7章

農産品輸出を阻むシステム

２国間の自由貿易協定の裏で

さて今度は、農業政策についてだ。

日本の農業の衰退ぶりが叫ばれて久しいが、近年は農産物の輸出先として海外市場に目を向ける傾向が出ている。海外での和食ブームも背景にあるのだろう。

２０２２年の日本の海外向け農産物・加工食品輸出は１兆４１４８億円と、過去最高を更新した。日本政府はそれを２０２５年に2兆円、30年までに5兆円とする目標を掲げるなど、輸出拡大への鼻息は荒い。

オーストラリア向けも御多分に漏れず、日本からの加工食品輸出は増加の一途をたどる。だが、好調に見える輸出統計の裏で、見逃されている問題がある。

前章でも言及したが、日豪ＥＰＡは15年1月に発効し、オーストラリアは日本からのほぼすべての輸入品への関税5％を即時撤廃した。日本も、オーストラリア産牛肉や果実の輸入関税を引き下げた。その後、環太平洋連携協定（ＴＰＰ）も締結した。

その結果、どうなったのか。

『財務省貿易統計』で日本とオーストラリアの貿易収支を調べると、日豪ＥＰＡが施行される前年の２０１４年通年は、日本からオーストラリア向け輸出総額は１兆５０１２億円だった。オーストラリアからの輸入総額は5兆896億円に上った。ざっと3・4倍もの開きがある。その背景として、日本はオーストラリアから石炭や天然ガス、鉄鉱石を大量に輸入しているので金額ベースでは無理もない。

だが問題は伸び率だ。8年後の2022年通年を見ると、日本のオーストラリア向け輸出総額は2兆1726億円と約44%増えた。しかしオーストラリアからの輸入総額は11兆6117億円と、なんと228%も増加している。（図表参照）

2国間の自由貿易協定で見ると、明らかにオーストラリアが圧倒的に恩恵を受けたことを示している。

ブドウはまったく輸出できていない

それに加えて、筆者が注目したのは、日本の輸出農産物の中で伸びしろがあると期待されている青果、特にブドウとリンゴの貿易量である。というのも、日本もオーストラリアも、共にブドウやリンゴの輸出国であるためだ。

日本とオーストラリアは、資源と自動車という、お互いが生産できない物が主要輸出品であるため、補完関係ができていることは先に言及した。そうであるなら、EPA後の影響を検証する場合、お互いが輸出している同じ商品を比べて検証するのは意味がある。

日本の農林水産省が2015年末に、日豪EPAやTPPが実施された場合の影響報告書をまとめていた。それを見ると「国産ブドウは巨峰やシャインマスカットなど味や外観が極めて優れ、産地ごとにブランドが確立されており、外国産と比べて価格が3倍以上なのに、国内需要の9割を占める」として、「(外国産輸入が増えても)影響は限定的」としていた。

だが、果たしてそうなったのか。

日豪EPAが発効する前年の2014年通年の日本のオーストラリア産ブドウの輸入量は、251トン(金額ベースで7495万円)に過ぎなかった。その前年はゼロだった。

それがEPAとTPPを経てわずか8年後の22年には、オーストラリア産ブドウの輸入量は8855トン(同31億4068万円)と実に35倍以上に急増しているのだ。金額ベースでは42倍に増えている。

日本のブドウ輸入先として、オーストラリアは米国を抜き、チリに次いで第2位にまでたった8年で上り詰めた形だ。

オーストラリア食用ブドウ協会によると、オーストラリアの食用ブドウの輸出先の中でも特に伸びているのが日本向けで、この先さらに伸びると予測されており、笑いが止まらない状況だ。

これは日本にとっては、いささかショッキングな事実だ。大規模栽培のオーストラリア産ブドウの日本への輸入が激増しているのだから、日本人のブドウ消費が激増しない限り、国内産がシェアを奪われたのは明らかである。

《対オーストラリアの貿易額》

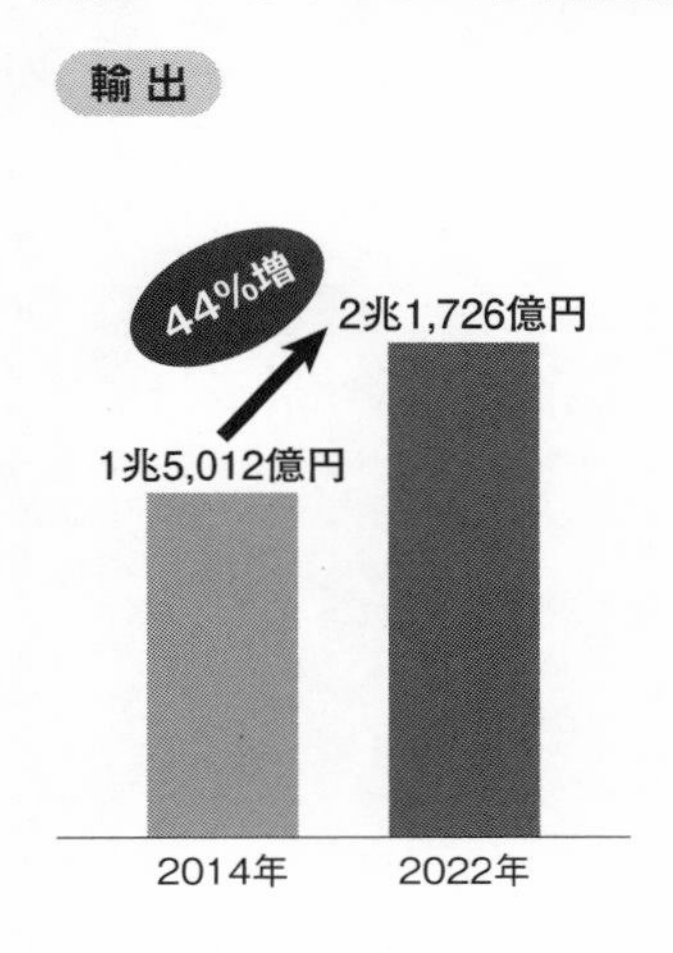

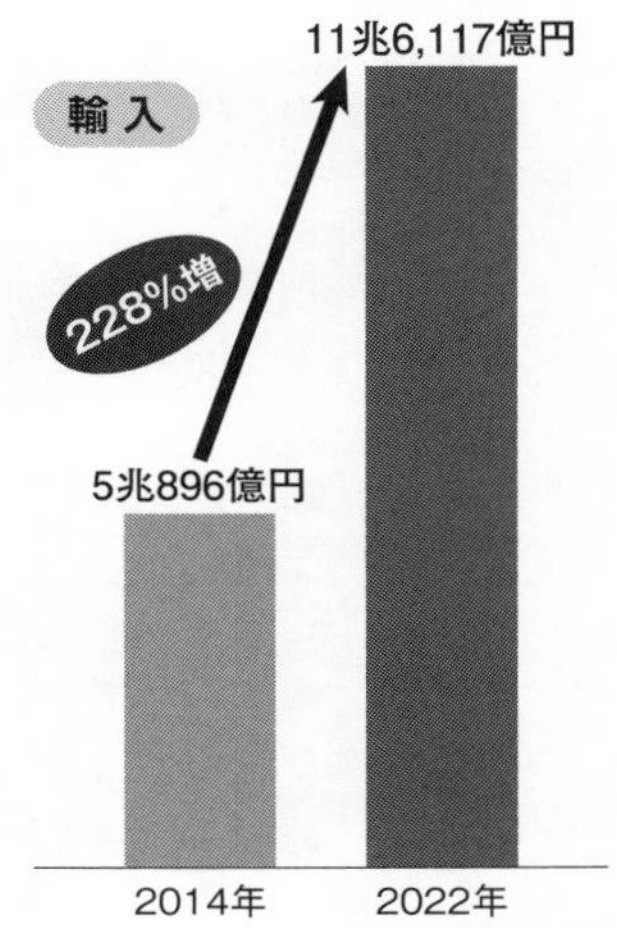

（出所）財務省「貿易統計」

《日本の結果樹面積と収穫量》

ブドウの結果樹面積と収穫量　　リンゴの結果樹面積と収穫量

結果樹面積（ha）	収穫量（t）	年　産	結果樹面積（ha）	収穫量（t）
17,400	189,700	2013年	37,200	741,700
17,300	189,200	2014年	37,100	816,300
17,100	180,500	2015年	37,000	811,500
17,000	179,200	2016年	36,800	765,000
16,900	176,100	2017年	36,500	735,200
16,700	174,700	2018年	36,200	756,100
16,600	172,700	2019年	36,000	701,600
16,500	163,400	2020年	35,800	763,300
16,500	165,100	2021年	35,300	661,900
16,400	**162,600**	2022年（概数）	**35,100**	**737,100**

（出所）農林水産省統計部「果樹生産出荷統計」

だが、季節が逆になるオーストラリア市場なのだから、日本産の高級ブドウもオーストラリアに輸出する機会は増えているはずだ。そこで日本がどのくらいオーストラリアにブドウを輸出したのか調べた。すると驚くことに、関税が撤廃されたというのに、日本産ブドウは23年時点でまだ輸出できていないのだ。

日豪で自由貿易協定が結ばれて、大規模栽培で安価なオーストラリア産ブドウが日本に大量に流入し、日本産ブドウがシェアを奪われている。その一方で、日本産のブドウはオーストラリア市場にまだ1粒たりとも入っていないというのだ。

これは一体どういうわけだろう。

しかも、実はシャインマスカットは、今や生産量は日本よりも海外産のほうが多くなっている。日本のシャインマスカットの苗木が、非合法を含めて中国などの海外に持ち込まれているためだ。ブドウの苗木は、15センチ程度の苗木があれば比較的容易に育てられてしまうのだ。

余談だが、「日本発の種なしスイカ、韓国で人気」というタイトルの記事（朝日新聞）があり、筆者も思わず引き付けられた。ところがその記事は、単に韓国のスイカ事情を紹介した凡庸な記事に過ぎないものだった。なぜ日本の大手新聞は、日本産のシャインマスカットやイチゴなどの高級果物が韓国や中国に盗まれていることについて大きく取り上げないのだろう。

リンゴの対豪輸出もゼロ

リンゴはどうだろうか。リンゴも日本最大のリンゴ産地である青森県弘前市がアジアを中心に輸出しており、近年は同県黒石市もオーストラリアに輸出しようと積極的で、市の担当者らは何度かシドニーを訪れ、輸入業者らと情報交換し始めた。

だが実は、リンゴもオーストラリア向けの輸出はまだゼロなのである。

日本では、オーストラリアを含めた海外産の安価なリンゴに押される形で、2021年の日本全体のリンゴ生産量は66万900トンと、70万トンをついに割り込んだ（農林水産省統計）。

またブドウも果樹面積、収穫量共に2014年から年々減少を続けている。農水省統計部「果樹生産出荷統計」によると、2014年の日本のブドウ果樹面積は1万7300ha（ヘクタール）だったが、2022年には1万6400haと、900haも減少している。ブドウの収穫量も、2014年が18万9200トンだったが、2022年は16万2600トンと、2万6600トン減少している。

日本が、世界に誇る高品質のリンゴもブドウも、国内では作付面積が年々減少しているのは共通している。これは農家の高齢化が進んでいることも当然あるが、海外の安価な果物が大量に流入していることも影響している。これは明らかに、政治や行政の失策といえる。

実は日本政府は2023年末の時点で、農業政策の方向性を示す「食料・農業・農村基本法」

（1999年制定）を改正する作業を進めている。これは、不安定な世界情勢や地球環境問題への対応から、食料安全保障上のリスクに備えるものだという。要するに、日本の農業生産高を増やすことを基本としている。

ところが実際は、日本が大切にしてきたさまざまな果物の作付面積は、そうした意向と逆行して減り続けているのだ。

オーストラリアの不公平な非関税障壁

オーストラリアのリンゴ生産高は28万2733トン（22年）と、まだ日本の半分にも満たない規模だが、生産状況に不安はなく、日本向け輸出をさらに増やそうと意欲を見せている。そのほか、オーストラリア産のマンゴーやメロンなども日本向け輸出規制を緩和し、輸出が急拡大している。

一方で、日本からの果物はほんのわずかなイチゴを除くとほぼゼロだ。実はこうした背景にあるのが、オーストラリアが課している検疫体制だ。日本の農家側はそれをクリアできているが、多額のコストに見合わず、輸出を断念するケースが多い。これは日本にしてみれば不公平な非関税障壁と言える。

オーストラリアは、カンガルーなどの有袋類など、他地域には存在しない動植物が多く存在することから、大陸の生態系維持を目的に、輸入する農産物に対して厳しい検疫措置を採用している。

筆者が日本の農水省の防疫担当者に聞くと「検疫と貿易量は区別する」という回答だった。要するに、相手の検疫の面には口を出せないということだ。

だが、それでも納得できないことがある。

実はオーストラリアは、ブドウやリンゴを、米国やニュージーランド、中国などからも輸入している。これはオーストラリア当局は、日本と同じ輸入条件をそれらの輸入相手国に課してはいないということだ。そうした国々と比べて、日本だけが果物の防疫措置が不十分だとはとても思えない。

イチゴの輸出も難航

イチゴも、日本が輸出拡大に力を入れる主力農産物の一つだ。日本ではイチゴの大半は国内で消費されるが、そのうち約２００トン以上が香港を中心としたアジアに輸出されており、日本の高品質なイチゴの人気は年々高まっている。

オーストラリアとも２０２０年に植物検疫条件で合意し、日本産イチゴの輸出が可能になったのだが、本格的な量を輸出するにはまだ道のりは長い。

経緯としては、最初に手を挙げたのは岐阜県だったことから、21年2月になってようやく、オーストラリアに初めて岐阜県産イチゴが輸出された。将来の輸出拡大の期待を込めて、岐阜県は輸出出発式まで行ったほどだ。

だが、耳を疑うようなことが起きた。オーストラリアへの出荷は成田空港からメルボルンまでの空輸で、約2日で小売業者に届く手はずになっていた。出荷は、約15個入りの袋詰めパックをそれぞれ1回目（15キロ）、2回目（7キロ）、3回目（8キロ）と、3回空輸した。傷みの足が早いイチゴは、温かい気温が致命的になる。海外への輸出であれば、とりわけ丁寧で迅速な輸送が鍵になる。

だがメルボルンに届いたイチゴを見て、輸入担当者は絶句した。1回目が4分の1、2回目が3分の1、3回目に至っては半分の量のイチゴが抜き取られたり、切られたりしていたからである。空港検疫所で抽出「検査」が行われたのは明らかだが、これだけの雑なやり方と検査の量は納得がいかないものだった。

またオーストラリアの検疫官が忙しいなどといった理由でイチゴが長時間留め置かれる場合もある。収穫後2日で届くはずが、1週間かかったケースもあり、ひどく傷んでしまった箱もあった。

関係者らは「イチゴは1週間たったら使い物にならない。こっちは真剣にやっている。いじめているのかとさえ思った」と憤った。日本産イチゴをメニューに加えることになっていたレストランのシェフなども、「これではせっかくの日本産イチゴは、ジャムやソースにするしかない」

と不満を示したという。

ある別の輸入関係者は、オーストラリアの青果業者から言われた言葉を思い出す。「日本から輸入するならイチゴだけは止めたほうがいいよ。オーストラリアのイチゴは、クイーンズランド州産の収穫期が終わったらニューサウスウェールズ州、その次はビクトリア州と、１年中を通して、さまざまな州から大都市に集まる。勝ち目がないんだよ」

だがそれでも、日本の農家や県関係者の熱い思いと、日本産イチゴの高い品質は受け入れられるはず――と、日本側はあえて挑み続けている。

貿易自由化は、日本に恩恵があったのか

筆者の知人で、オーストラリアで食品販売卸業を展開する中国系オーナーによると、留学生を含めて３００万人とも言われる中国系オーストラリア人の間でも日本の高級果物は人気で、イチゴに限らず、「日本の高級果物が入ってきたなら、どれだけでもさばける」と豪語していた。

誰でも食べてみれば分かるが、例えば新潟のコシヒカリと、オーストラリア産のコシヒカリは、もっちり感がまったく違う。長野のブドウと、オーストラリア産のブドウも、大きさや甘さが異なる。青森や長野の蜜が入った甘いリンゴと、オーストラリア産のリンゴも全然違う。そうした農産物はほかにも多い。

国際的な自由貿易協定の欠陥は、農産物について、その「品質」や「手間」を問題にできないことである。名前が同じ両国の農産物を一緒くたにしてしまうと、「悪貨が良貨を駆逐する」事態になるのだ。日本の農家が、安い外国の農産物に負けて、世界に誇れる高級果物の作付面積が落ち続けていることがそれを証明している。

リンゴの場合、オーストラリア側から「日本産でオーストラリアに輸出できるリンゴは『フジ』のみ」「袋詰め限定」「消毒処理は2種類」などといった、他国にはないのに日本だけに課される、実態にそぐわない検疫条件が課されている。そうしたことは、政治的な交渉を通じてでも緩和されねばならない。

リンゴやブドウなど高品質の日本の青果がオーストラリアに輸出できない一方で、安価なオーストラリア産は日本で破竹の勢いで日本産を駆逐している。なぜ、日本政府はこんな状況を甘んじて受け入れているのだろう。

自由貿易協定後でさえ、オーストラリアが独自の防疫管理を主張するなら、例えば日本もその「糖度」や「手間をかけるコスト」などの品質を数値化し、オーストラリアに市場開放を要求する材料にすべきだろう。そうした努力をしようとせず、国内の農家が衰退していくのを漫然と見ているのは、日本の政治や行政の怠慢でしかない。

日豪両国による貿易協定後の8年間で、圧倒的に開いてしまった青果の貿易格差を見ると、オーストラリアとの間の農産物自由化が、少なくとも日本の農業を衰退させたのは間違いない。

オーストラリアとの貿易面では、検疫の問題を別にせずに同じ俎上に載せ、貿易の公正化に向けて、政治的交渉で是正すべきだと思われる。

オーストラリアの農家は政治家に対する圧力が厳しい。それに比べて、日本の農家は大人しく従順なものだ。それに甘えているのか、日本政府は日本の農業を犠牲にしてきたと言われても仕方がない。

果物を食べなくなった日本人

日本に住む友人が以前、お歳暮やお中元などの季節の贈答品として、シャインマスカットや高級メロンを知人に贈ると話したことがあったので、興味深く聞いた。なぜなら、オーストラリアでは、フルーツは日常的にありふれた食品でありすぎて、贈答品にはならないからだ。せいぜい、誘われたパーティーにワインと一緒に持ち寄るという程度だ。

筆者が興味深く感じたのにはまだ理由がある。日本では、確かに果物の質は世界に誇るほど素晴らしいのだが、日本人自身が、日常的に果物を食べる習慣がなくなっていることだ。シドニーの筆者の会社に、日本の大学生が短期のインターンとして来たことがあるが、彼女はシドニー滞在中、生まれて初めてイチゴやブドウを自分で買ったと言うので驚いたものだ。

厚生労働省は２０２３年に、24年から開始する「健康日本21（第三次）」で、果物摂取量の目標値を1日200グラムと定めている。

だが同省の国民健康・栄養調査によると、20歳以上で日常的に果物を食べていない人の割合はなんと39％に上るという。日本人の成人の4割は、日々の果物摂取量がゼロだ。日本が誇る甘い高級果物は、日本人にはなかなか手が出ない、贈答品になっているのだ。

例えば日本を代表する庶民的な果物のリンゴを見ると、リンゴ生産国35カ国の生食用リンゴの1人当たり消費量は平均18・3キログラムだ。ところが日本は、5・04キロしかない（青森県りんご大学）。

日本の果樹栽培面積が落ち込んでいることは前述したが、日本は自由貿易協定後、自分たちの果樹園をつぶし、果物を食べる習慣まで捨てている。気の毒と言うほかない。

日本の当局が証明書を発行しない？

そのほかにも、日本の行政が国内の農業・食品業界にわざわざ足かせをはめているケースがまだある。

数年前に、オーストラリアに駐在するある日系の食品商社マンから、日本のお役所仕事に対する不満が電話で寄せられたことがあった。

オーストラリアでも、インスタントラーメンなど日本の加工食品に対する需要が年々高まっており、中国や韓国産の加工食品がシェアを広げている。その一方で、日本側による規制で日本産のインスタントラーメンの輸出許可手続きが実に煩雑だというのである。

インスタントラーメンなどには通常、畜肉エキスの入ったスープが含まれている。例えばオーストラリアでも、それが規定含有量を超えていると、日本の輸出業者はオーストラリア政府の輸入許可書を取得しなければならない。だが輸入許可書さえ取れれば、本来容易に輸出できるということでもある。

そこで輸出業者は、輸入許可書にある条件項目を記載し、日本政府やメーカーの証明書を輸出の度に提出することになる。だが、ここで日本独特の難関が立ちふさがる。

畜肉エキスや乳成分、卵を含む製品の証明書を発行する政府機関は農林水産省動物検疫所（動検）で、ここに証明書の発行を依頼するのだが、先の駐在員氏によると、食品商社の間では当時、なかなか証明書が発行されないという不満が噴出していた。

例えば、乳製品入り製品の輸入許可書を取得する場合、国際獣疫事務局（ＯＩＥ）加盟国の乳製品であることを示す日本政府の証明書が必要になる。

だが製品に日本とオーストラリア産の原料が入っている場合、共にＯＩＥ加盟国であっても（！）、外国産原料が入っているとして「証明できない」と動検から突き返されるという。

別の例では、牛脂が含まれた製品をオーストラリアに輸出する際には、牛海綿状脳症（ＢＳＥ）のリスクがないという証明書を提出する必要がある。その時、製品に使用されている牛脂は日本製でも、牛の原産国はオーストラリア産ということはよくあることだ。だがこれも、日本の動検は証明書を発行しないという。

つまりこれらの理屈では、日本の製品でも原料に外国産や輸入牛などが使用されている場合、その製品はオーストラリア側の検疫の問題ではなく、日本のお役所の「認識」で、永遠に輸出できないことになってしまうのだ。

ある商社員は「外国で、日本の動検に当たる機関がBSEなどの証明書を発行しないなどという国は聞いたことがない」と呆れる。別の商社員は「役所側はできるだけ責任を負いたくないのでしょう。証明することを極力嫌がります」と諦め顔だ。

また、原本や和文の証明書申請に記載した内容が正しいことを「証明する」メールのやりとりの原文や翻訳、さらには相手国の担当者の連絡先などまで要求するケースもあるという。通常の書類提出でも差し戻しを繰り返し、証明書を得るまでになんと半年から1年間以上かかることは珍しくない。あまりに時間がかかるため、日本の製品から中国・韓国産に切り替える商社は多いという。

中国や韓国メーカーが漁夫の利

余談だが、これらのケースで、1950年後半頃に商社マンだった日本人の昔話を思い出す。

当時、その商社マンが中国からエビを日本に輸入しようとしたところ、通産省（当時）から「貴重な外貨を使ってぜいたくな消費物資を輸入するのは国賊ものだ」と一括されて、輸入許可が得られなかった、という実話だ。噴飯物の屁理屈だが、こんな昔話を想起させるほど役所体質は現在もあまり変わっていないと言われても仕方がない。

日本の優れた食品を、海外に輸出したいという食品メーカーや業者がごまんといるというのに、この非協力的で融通の利かない役所の仕組みが、日本企業の足を引っ張る。

結果的に、「疑似日本食品」を生産する中国や韓国の加工食品メーカーばかりが和食ブームに乗り、海外市場で漁夫の利を得ているという本末転倒につながっている。

繰り返すが、和食ブームに乗って日本政府は食品輸出を２０３０年までに5兆円に増やしたいと言っている。果たして、本当にそのつもりがあるのだろうか。

第8章

少子高齢化になぜ本気で取り組まないのか

海外から見ても日本の少子化対応は謎

オーストラリアの公共放送ＡＢＣが２０２３年に、少子化が危機的状況にある日本の社会について特集番組を放送していた。若者が子供を産まなくなっていることや、既に「Hikikomori」という英語にもなっている「引きこもり」という社会のひずみの数々を紹介し、日本が「極端にプライベートな社会」になっており、「この神聖な国が、危機に直面している」と述べていた。

日本政府は、自国の人口が縮小していくことをどう捉えているのか、というのは実に謎である。先進国の場合、財政の懐事情にかんがみ、人口が持続的に増えていくことを当然目指している。人口が増えれば経済市場が拡大し、企業活動が活発化し、消費も高まり、外国投資も呼び込める。要するに、それだけ自国のＧＤＰが増えるということでもある。そのため多くの国は、移民を継続的に受け入れることは必要不可欠であると考える。

その一方で、日本は少子高齢化が深刻になっているというのに、移民を受け入れようとしないどころか、若者夫婦の出産支援もまともにやろうとしない。日本政府の姿勢はミステリーとしか言いようがないというわけだ。

まず最初に、移民大国のオーストラリアの状況について話したい。第６章でも紹介した、オーストラリアの財務省が5年おきに発表する「世代間報告書（ＩＧＲ）」は、日本にとっては大いに参考になるはずである。

これは、人口動態による国内経済や財政への今後40年の長期的影響を予測したもので、政府は毎年これを基に新年度財政予算の支出項目を決めるほど重要な報告書だ。

これを見ると、オーストラリアがどんな国家構造を目指しているのかが如実に示されている。同時に、日本とのあまりの違いに驚かされる。

最初に言及しておきたいのは、オーストラリア政府は与野党いずれも、人口の堅調な増加が「経済を成長させる」「国民の平均年齢を若く保つ」「労働参加率を高める」「高い生産性を維持する」「社会保障の質を高める」という基本理念を堅持していることだ。

前回の報告書は２０２１年に保守連合（自由党・国民党）政権下でフライデンバーグ財務相が発表したが、その基本理念は同じだった。

あえてそのことを強調するのは、日本政府の認識とはかなりずれがあるためだ。そのことは後に詳しく説明しよう。

さて、40年後（２０６３年）に予測されるオーストラリアの人口概要は以下の通りだ。

◆人口は現在の２６３０万人から、２０６３年までに１４２０万人増えて４０５０万人に。

◆人口増加率は現在の２％から今後20年は１・４％に、今後40年の平均で見ると１・１％に低下する。

◆平均寿命は男性が現在の81・3歳から87歳に上昇、女性は85・2歳から89・5歳に上昇する。
◆65歳以上の高齢者割合は23%、85歳以上は5%に上昇。高齢者数は現在から2倍以上、85歳以上は3倍以上になる。
◆女性が生涯に産む子供の数を示した「合計特殊出生率」は1・6のまま変わらず。

移民は継続的に受け入れ

人口増加率が40年後に年間0・8%まで低下する一方で、堅調な人口増加が見込まれるのは、当然ながら移民を継続的に受け入れるためだ。その移民についての見通しは下記の通り。
◆移民の流入数から流出数を差し引いた純移民数は、今後40年間で毎年約23万5000人となる。
◆過去10年間の人口増のうち移民割合は60%だったが、40年後までに74%に上昇する。
◆国民の年齢中央値は、約38歳と若い。
実はオーストラリアは2002年時点で、約20年後の現在の人口を約2320万人と予測していた。

つまり、現在の2630万人は当初予測より12%(300万人以上)も多いことになる。これは即ち、移民を継続的に増やしてきた成果にほかならない。

経済協力開発機構（ＯＥＣＤ）の調査によると、オーストラリアは２０１１年から18年の８年間で、人口の移民割合が10％拡大した結果、労働生産性を１・３％高めたと試算している。

またオーストラリア地方協会（ＲＡＩ）のモデリングによると、内陸部など地方人口（現在約９５０万人）が今後10年で１１００万人となった場合、経済生産高は２兆３０００億豪ドル（約２１７兆円）に達するとの試算もある。

今後20年間の人口増加率が１・４％というのは、他の先進諸国を上回る水準だ。例えばカナダは１・０％、米国は０・８％、英国は０・６％などだ。今後ますます、有能な国際人材の獲得競争が高まることになる。

人口１００万人減で、10兆円の経済損失

２０１５年当時の報告書では、連邦政府の財政黒字は２０３０年より前に達成できると見込んでいたが、今回新たに修正を迫られ、20年からのコロナ対策での膨大な支出で、２０２４年には対国内総生産（ＧＤＰ）比の債務割合が40・９％まで拡大するとしている。少なくとも今後40年間は財政赤字は続くことになる。

その結果、オーストラリアの経済成長率は年平均２・２％に縮小する見込みだ。

人口が伸び悩む中で財政を立て直す場合、「増税するか、緊縮財政とするか、景気を拡大させ

て経済規模を大きくするか」しかない。前者の2つは諸刃の剣で逆効果になるリスクがあり、現実的に困難な選択だ。そのため事実上、3つ目の経済規模を大きくし、生産性を高める選択しかない。

そのためにオーストラリアが取ってきたのが移民政策で、毎年約20万人を受け入れてきたのだ。オーストラリアは自国の経済を成長させるため、人口の堅調な増加は必須であり、そのために移民の継続的な受け入れは欠かせないと判断している。

同リポートは警鐘を鳴らす。

「我々が長寿になるのは喜ばしいことだが、経済や財政の観点からすると、それは甚大な影響をもたらす。保健医療や、高齢者介護への支出が飛躍的に増え、さらに労働人口が減少していくことは、歳入と歳出の両方に多大な圧力をかけ続けるからだ」

オーストラリア政府は「現在よりもさらにターゲットを絞り、専門職にフォーカスした」移民政策を導入していく方針も示している。もしも2030年に人口が100万人減少した場合、1170億豪ドル（約11兆円）の経済損失につながるとの試算もあるほどだ。

減少を続ける日本の人口

40年後のオーストラリアの人口見通しを見てきたが、一方の、日本の40年後の人口はどうなっているのだろうか。内閣府の『高齢社会白書（令和５年版）』や総務省などの調査を基に予測を挙げてみると、毎年のことながら、震撼（しんかん）させられる数字が並ぶ。

◆日本の人口は２０２２年現在、約１億２５００万人だが、約40年後の２０６５年にはなんと３３４１万人減少し、９１５９万人と１億人を大きく割り込む。日本の人口は、２００９年をピークに13年連続で減少中だ。

◆65歳以上の高齢者割合は、22年の29％から急上昇を続け、65年は38・４％にもなる。

◆日本の現在の生産年齢人口（15～64歳）は７４００万人、総人口に占める割合は59・４％まで低下した。つまり、高齢者１人を養う生産年齢人口はたった２人しかいない（オーストラリアは４人）。生産年齢人口は、65年には４０００万人程度に減る見通しだ。

◆平均寿命は男性が81・05歳、女性は87・09歳だが、60年には男性が84・19歳、女性が90・93歳と、女性は90歳を超える。

◆22年の出生数は80万人を割り込み、合計特殊出生率は過去最低の１・26まで下がるなど、下落傾向は止まらない（オーストラリアは１・60）。

◆国民の年齢中央値は48・６歳で、世界で最も高齢化が進む。

これらを見ても、日本は、想定よりかなり早いペースで少子・高齢化が進んでおり、オーストラリアと比べはるかに危機的状況であることが分かる。地方に行くと、葬式業の広告がやけに多く目につく。

また、オーストラリアとは正反対に、日本では究極の解決策としての移民政策導入にも相変わらず二の足を踏んでいる。それどころか、いまだに移民に対する反対や抵抗が根強い。

確かに、日本で短期の外国人労働者の数は増えている。厚生労働省調べでは、2022年は前年比5・5%増の182万2700人と、年間約9万5000人増え、過去最多だという。だが、人口2500万人のオーストラリアが毎年20万人以上の移民を受け入れるのと比べると、その少なさが分かる。

そして実に不可解なのは、オーストラリアは「人口増加ペースの鈍化」が国家存亡に関わるという危機感を抱いているのに、日本は「人口激減ペースの継続」でも、効果的な手を打っていないことだ。国会やメディア、国民の間でも危機を叫ぶ声がいまだに少ないのはどういうわけだろう。

後藤担当相に不満を呈す

ところで、2023年8月下旬に、日本の後藤茂之・経済再生相（当時）が環太平洋連携協定（TPP）に関する協議でオーストラリアのメルボルンとシドニーを訪れ、ファレル貿易相らと会談している。

後藤氏はその後、日本の記者団との会談で、オーストラリアで予定していたものの発表できなかったというスピーチの原稿を公表した。後藤氏が担う「新しい資本主義」政策についてのスピーチである。「新しい資本主義」というのは、「成長と分配の好循環」と「コロナ後の新しい社会の開拓」をコンセプトとした、岸田首相肝いりの看板政策だ。

そのスピーチ原稿を見ると、「少子化対策」のことだ。原稿には、こんな記述があった。23年1月に岸田首相が年頭会見で表明した「異次元の少子化対策」という項目もある。

「我が国の２０２２年の出生数は過去最少の77万人。今の50歳前後に当たる第２次ベビーブーム世代と比べて４割以下となりました。急速に進む少子化、人口減少に歯止めをかけなければ、我が国の経済社会は縮小し、地域社会、年金、医療、介護などの社会保障制度を維持することは難しくなります」

日本政府の閣僚からこうした文言を与えられるたびに、筆者は正直、鼻白む。そのため、会見でたまたま意見や質問を促されたので、実に35年もの間、日本政府が無策を弄してきたことに対する不満を、その場でぶちまけてしまった。「だったらなぜ、今までやらなかったのですか？」と。

筆者が香港に駐在していた頃だから、約25年前の話である。当時既に、日本の人口ピラミッド構造から、日本の人口が急速に少子・高齢化に向かっていることは海外にも知られていた。日本に警鐘を鳴らす海外の社会学者も多かった。

そこで筆者もフランスの学者に話を聞き、「日本政府が危機感を感じず、何も手を打とうとし

《日本の人口ピラミッド：2023年》

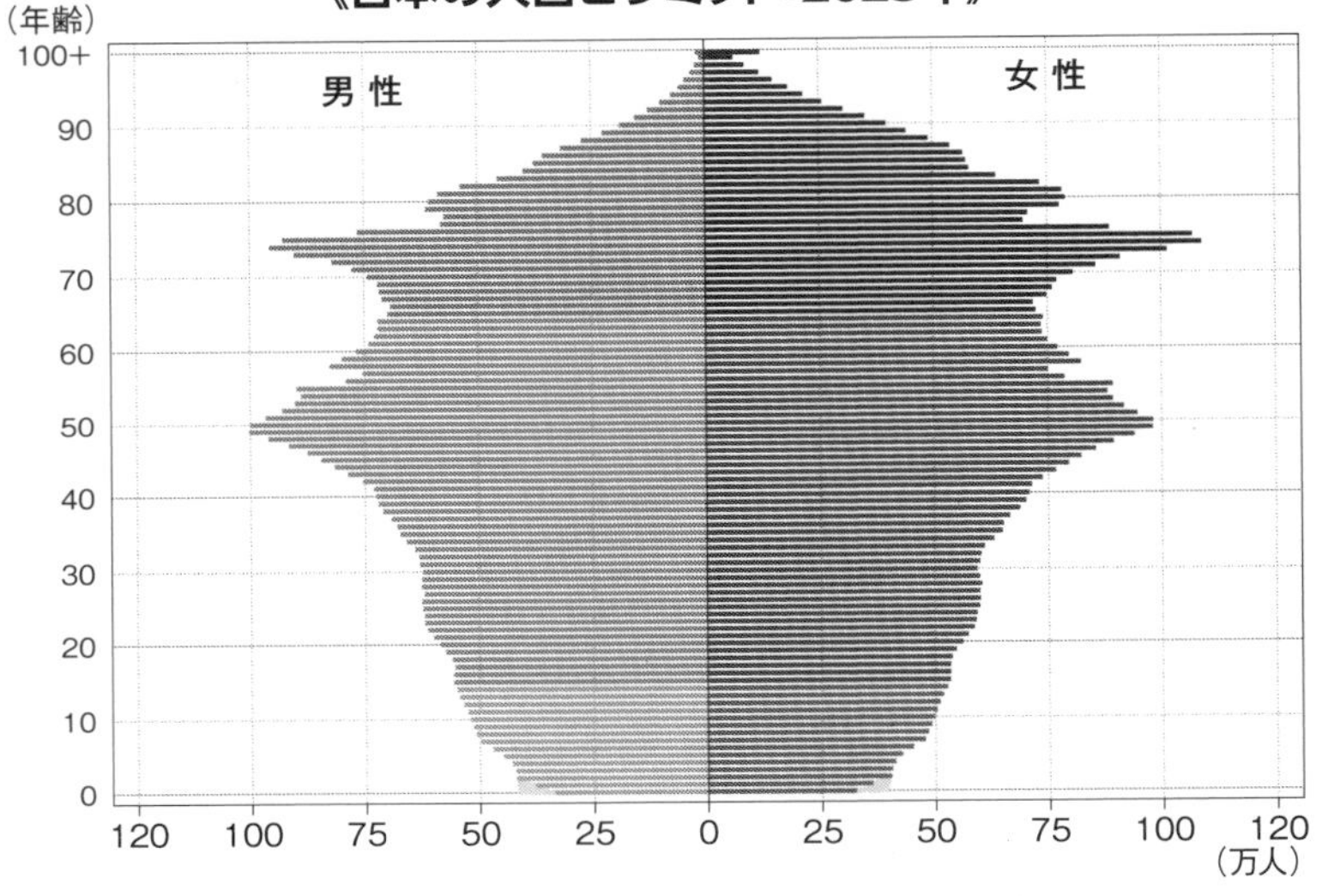

《日本の人口ピラミッド：2060年予想》

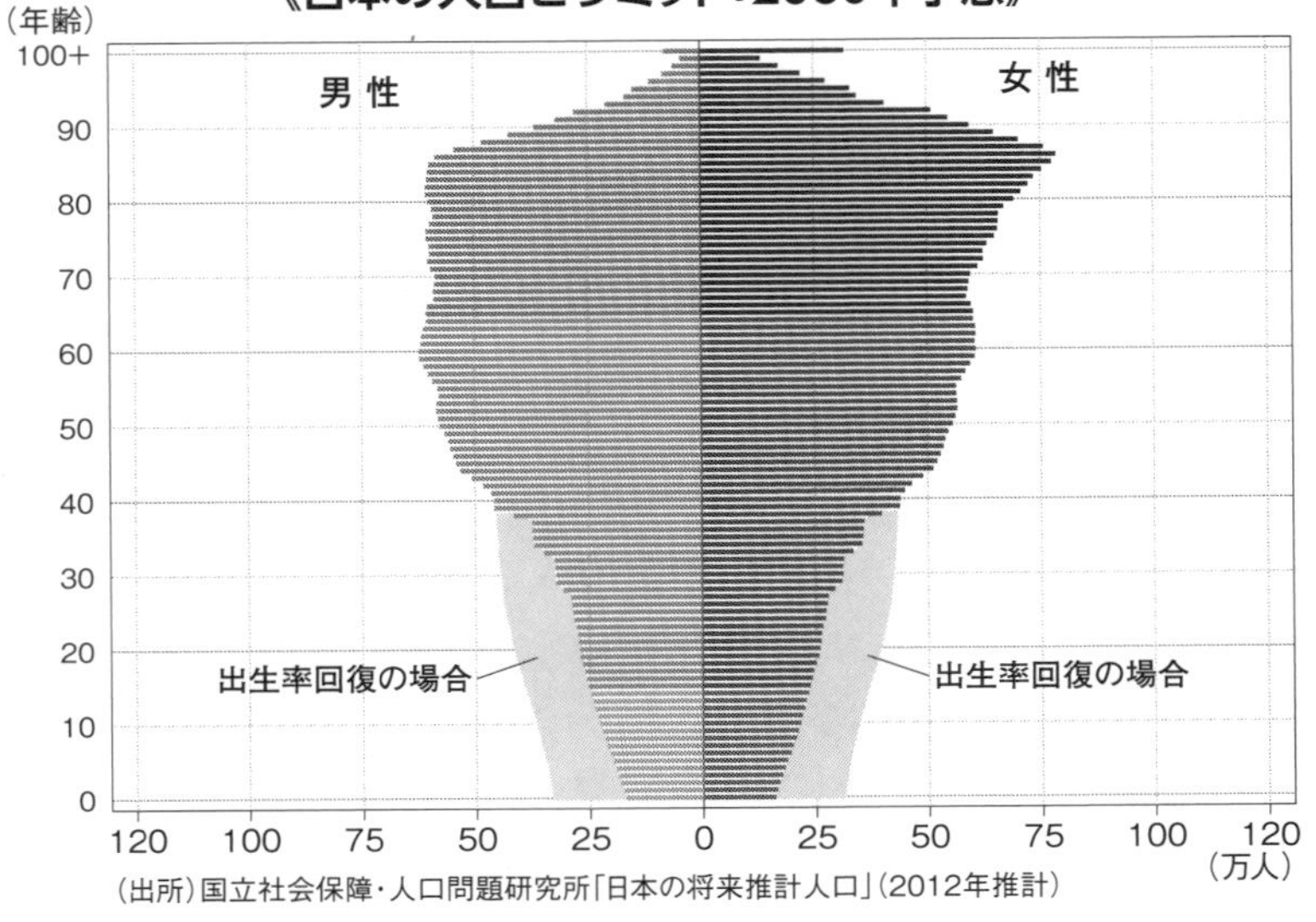

（出所）国立社会保障・人口問題研究所「日本の将来推計人口」（2012年推計）

ないのは本当に不思議でならない」と記事に書いていた。取材などで個人的に国会議員や高級官僚に会うたび（それが厚労官僚でなくても）、早急に動かないと将来日本は大変なことになります、と訴えていた。

だが、それらはすべて、なしのつぶてだった。

35年間何も手を打たず

日本では、働く女性が子供を産んで育てる環境の改善は遅々として進まず、保育園の待機児童の問題は何年も放っておかれた。

その間、結婚世代の若者は疲弊し続けた。バブル後の景気低迷が長引くまま給与も物価も上がらず、生活費に窮した若者たちは晩婚になり、生活費を抑え、子供を産む意欲も急速にしぼんでいった。

日本政府は目先の景気にしか目を向けず、海外から安い短期労働者を入れてお茶を濁し、オーストラリアや欧米のような移民制度を検討することもなかったと言える。

出生率は、厚生省（当時）が予測していた回復どころか、１・26まで下がり続けたのだから、日本政府は35年間何も手を打たなかったと言われても仕方がない。

例えば今年、日本で出産が急激に増加しても、子供が就労年齢になるまでは国家的には財政負担になる。打ち出した政策が奏功するまで約20年もの時間が必要だ。そのため筆者は、「あの当時から散々指摘されていたのに、なぜ日本政府は本気で取り組まなかったのでしょう。あの時始めていれば、今頃はこんな問題はなかったかもしれません」と、思わず、不満を後藤茂之・経済再生相本人にぶつけてしまった。

後藤担当相としても、オーストラリアにまで来て、一介の記者から少子化について文句を言われて面食らったことだろう。

だが個人的には、オーストラリアだけでなく、フランスやスウェーデン、イスラエルなど先進国が少子化を食い止める策を実施しているのを見るたびに、日本政府の無能さにあきれていたのは確かだ。

筆者が25年前当時に取材した頃からすでに日本で少子化は話題になり始めていたので、ふと気になり、最初に少子化問題が表面化した時期をさかのぼって調べてみた。

するとそれは、１９８９年の合計特殊出生率が１・57と、それまで過去最低だった66年（１・58）を下回ったことが発端となった90年頃のようだ。66年は「丙午（ひのえうま）」という特別な要因で出生率が低かったが、89年がそれ以下になったことで「１・57ショック」と呼ばれ、当時の日本社会に衝撃を与えたものだった。

実は筆者が後藤経済再生相に訴えた「25年前」どころか、35年も前に既に問題になっていたのだ。日本はゆでガエルになってしまって、昨年には１・26まで下がったが、もはやショックなどではなくなっている。

出生率1・57は「大騒ぎするほどではない」

ではその当時の国会で、少子化を巡ってどんな議論があったのかを調べてみると、こんな国会議事録が残っている。

1991年3月15日に行われた衆議院・社会労働委員会での議論である。

【山口俊一（自民党）委員】
「昨年6月の厚生省発表の出生率1・57、（中略）私としては、世界的に見てこの1・57という数字は特に低過ぎるわけではないいんじゃないかと実は思っております。いわゆるゆゆしき事態とまではいってないいんじゃないかと。

事実、英国が1・85、フランスが1・81、西ドイツ（当時）が1・39、イタリアが1・29等でありります。いわば先進国レベルでありまして、ライフスタイルとか価値観の変化等を考えてみますと許容限度内ではなかろうかと思っております（後略）」

政権側の自民党だけあって、厚生省を擁護するかのような答弁だが、要するに山口議員は、1・57はまだ許容範囲であり、大騒ぎするほどではないと指摘している。これに対して、当時の下条進一郎（自民党）・厚生相が答弁している。

【下条進一郎・厚生相】

「（中略）わが国の社会保障制度は、昭和30年代に国民皆保険、皆年金体制が整備されるなど、逐次整備されてきました。なお、出産等の問題は直接行政が関与する問題でないことは御承知のとおりでございます」

下条厚生相は、出産については行政が直接関与すべきではない、とまで明言している。

では、山口議員が他の先進各国の例に、日本は大騒ぎするほどではない水準だとした出生率について、35年後の現在、そうした国々の数値はどうなったのだろうか。

最新データ（２０２２年）を見てみると、フランスは１・80とほぼ変わらずで欧州圏ではトップ水準を維持している。英国は１・６とやや下げた（だが英国は年間数十万人の移民を受け入れているので人口は増え続けている）。ドイツは１・50と大きく改善した。イタリアは１・３と低いが当時とほぼ変わっておらず、人口も減っていない。１・57から１・26へと突出して急降下しているのは、日本だけである。

ちなみにオーストラリアでは、キリスト教徒の家庭では子供が５～６人いる家庭などざらにある。筆者には、９人の子供を持つ友人もいる。

「短期的対応ではどうしようもない」

興味深いのは、この委員会での野党の質問だ。やや長くなるが引用したい。

【伊東秀子（社会党）委員】

「（1・57という出生率は）特に女性が働きながら、かつ家庭も持ち、子供も育てながら暮らしたいという女性の意識やライフスタイルの変化に、行政がきちんと対応できなかった結果がはっきり出てきていると私は考えるわけでございます」

伊東議員はこの時、その原因として、女性が子供をほしくなくなったからではない、と指摘した。

日本経営者団体連盟（日経連）が1990年10月に実施した「働く女性の意識に関する調査」というアンケート（回答者3400人以上）では、「子供をほしくない」と答えた女性は8・8%で、「2人ほしい」が53・2%、「3人ほしい」が20・4%だったという。

つまり、子供を2人以上ほしいと答えた女性が、全回答者の約4分の3を占めたのだ。

それにもかかわらず出生率が落ち込んだ要因として、衆議院・社会労働委員会委員の伊東秀子議員（社会党）は、◇雇用環境が非常に悪いこと◇教育費の負担が大変重い◇保育所が足りない

◇家事、育児の負担が非常に重い――という4点を指摘した。
なるほど35年前も現在も、これらはまったく変わっていないことが分かる。

伊東議員は「これは短期的な対応ではもうどうしようもない、非常に大きな政治問題です。出生率の低落の原因を政府はどう把握しておられるのか?」と追及した。

そこで下条進一郎厚生相に代わり、厚生省大臣官房総務審議官の熊代昭彦氏が答弁し、出生率低下の原因としては「未婚率、夫婦の出生児数、生涯未婚率の3つが非常に大きな要素」などと指摘した。

「産む、産まないはプライベートな問題」

これに対し、伊東議員は執拗に食い下がった。

伊東議員は、その4つの要因を生んだ背景や、政府がどのような対策を講ずるべきだったのかについて、改めて具体的な回答を求めた。

また「出生率低下は、努力したけれどもさまざまな背景で食い止めようがなかったから、今後もこれは食い止めようがないだろう、との見通しだということでしょうか」と質した。すると、厚生省によるやや踏み込んだ答弁があった。

【土井豊・厚生省児童家庭局長】

「子供を産む、産まないという問題はプライベートな問題であり（中略）、子育て環境づくりが出生率にどう影響を及ぼすかは、その結果であろうと考えております。子供を産むための対策ということではなくて、子供が健やかに生まれ育つための環境づくりという形が、行政の守備範囲ではないかと考えている次第でございます」

つまりこの当時ではまだ、政府は「少子化対策」ではなく、「育児支援」に重きを置くと言っているわけだ。だが伊東議員はさらに、出生率の今後の見通しについても厚生省側に聞いている。そこで先の熊代氏が答弁した。

厚生省「出生率は２・０まで回復する」

【熊代昭彦・厚生大臣官房総務審議官】

「（中略）将来の人口の推計でございますけれども、昭和61年度（１９８６年度）に厚生省人口問題研究所が将来人口推計を出しております。これは大体5年に1度推計を出しているものです。昭和61年度推計によりますと、しばらく合計特殊出生率は下がるけれども、その後に２・０ぐらいまで回復してくる、そういう推計の見込みを持っております（後略）」

出生率はこの後しばらく下がるが、その後２・０まで回復してくる――。厚生省の研究所は当時、どういう理由があって2・0に回復するなどという予測を導き出したのかは分からないが、厚生省自体が出生率の問題を極めて悠長に、楽観的に見ていたことが分かる。

日本政府がこれほど悠長だった背景には、厚生省自らの研究所が出したこの楽観予測も背後にあったのだろう。

いずれにしても当時の閣僚や厚生省幹部の間では、他の先進諸国とは違って、日本の少子化が後に「ゆゆしき問題」になる、とは見られていなかった。１９９４年には「エンゼルプラン」という子育て支援10カ年計画案が策定され、２００３年には少子化社会対策基本法も施行された。

その後もさまざまな対策は講じられたが、いずれも少子化の傾向を食い止めるには至らなかった。

伊東議員「少子化は政治問題だ」

伊東議員は最後に、鋭く政府側を質している。

「子供が減少していくということは大変ゆゆしい社会問題だ。何としてでも子供が増える社会に変えなければならない、という所から今回の児童手当法改正案が出発したはず。だとすれば、もう少し厚生省、政府としては、児童手当法は何のために設けたのかという根本的理念をきっちり国民に見せる必要があるのでは。今回、額は増やしたけれども3歳までに短縮した。非常に姑息(こそく)

な、理念のないやり方に見える。今後高齢化社会に向かって、出生率が減少することが国全体にとっての政治問題であるという立場で、この根本的理念が何なのかを明らかにしてもらいたい」

少子化を食い止めた先進国として、フランスやドイツのほかにはスウェーデンも有名だ。スウェーデンの出生率は１９８３年に１・６まで下がったが、現在は１・84まで回復した。一時は２・０を超えた年もある。

スウェーデンでは、早い段階で支援金支給と併せ、保育や育児休暇制度などの施策が進められてきた。例えば育児休暇制度では、生後３６０日までは親は月収の90％が保障されるし、児童手当も20歳まで支給される。出生率が下がった直後から保育所も大幅に増やしたという。

日本は１９９１年時点で第二子以降に給付していた児童手当を第一子にも拡大したが、給付対象は３歳未満に限定した。

「人々が未来に希望を持てないことの表れ」

先の衆議院社会労働委員会で、児玉健次議員がスウェーデンに視察に行った時のことを報告している。児玉議員が、当時の同国のカールソン首相のアドバイザーだったアグネット・タム氏に、出生率回復のカギを尋ねたところ、要因は複合的だとしながらも「より根源的には、将来の社会で子供を送り出して立派に育て得るという若い男女の見通しがあれば、出生率は上がっていきます」との回答を得た。

伊東秀子議員が先に示した「日本人の若者は子供をほしくないわけではない」との点にも絡み、児玉議員は「自分の意思で子を産む社会で出生率が下がるということは、人々が未来に希望を持てないことの表れだ」ともタム氏に言われたという。

はぐらかしてやり過ごす政府の態度

そこで児玉議員が下条厚生相に聞いた。

「大臣どうでしょう、タムさんの言葉についての大臣の感想を伺いたい」


【下条進一郎・厚生相】

「児童の将来の問題について我々も、(中略) いろいろと御論議いただいておるわけでございますが、長寿社会と申しましても、やはり若い方を含めた人口構成が最も望ましい姿はどこにありやという総合的な観点から考えていかなければならないと思います。出生率が下がっていくことについては、将来の展望がどういう展望であるかどうか、また、その方の世界観がどうであるか、さらにはまた、生活を取り巻く諸条件、これは、今の児童手当のこともございましょうし、税制のこともございましょうし、あるいはまた給与のこともありましょうし、それらの総合的な問題、さらには御本人の哲学、価値観というものもいろいろ含めてそういう問題の方向がつけられるのであろう、私はこのように思われる次第でございます」

「タムさんの言葉の感想は？」という質問に対する答弁として、というよりも、答弁自体の意味がほとんど分からない。

これは日本の国会でよく聞かれる言い回しで、答弁内容をはぐらかす「霞が関文学」と言われる類（たぐい）のものだ。回答しているようでしておらず、回答らしき風には聞こえる、というものだ。欧米式のディベートなら「失格」になるだろう。

現在もそうだが、国会の予算委員会のテレビ中継を見ても、答弁をはぐらかして質問とかみ合わないか、官僚が用意した原稿を棒読みするのが日本の国会の常だ。こんな先進国の国会審議は他にない。例えばオーストラリアでも、国会は首相を含め、閣僚たちは自分の言葉で丁々発止渡りあっている。

これまで、日本で少子化が脚光を浴び始めた１９９１年当時の、衆議院社会労働委員会の議論のわずか一部をみてきたが、それだけでも当時の政府側の責任回避的な対応はよく分かる。

ここで紹介した野党側に肩入れするつもりは毛頭ないが、伊東議員らは、35年後の今日を予測したかのように、かなり的を射た質問をしている。

その一方で、厚生省は自民党と結託しているかのように、木で鼻を括った答弁に終始しているのが残念でならない。そうした日本政府の態度がとりもなおさず、日本の出生率が1・26まで低下する要因になったと言われても仕方がないだろう。

移民を戦略的に受け入れる

オーストラリアは、毎年35万人都市が一つずつできていく。一方で日本は、毎年35万人都市が一つずつ消えていく――。こう聞くと、ややショッキングに聞こえるかもしれないが、まったくの事実だ。

その背景として、オーストラリアは毎年20万人以上の移民を受け入れているからだ。

人口問題を語る上で、ここまでは「少子化」対策について焦点を当ててきたが、日本人にとっての「移民」について考えてみたい。

オーストラリアには毎年、資源関連を中心に多くの外国企業が進出しているが、近年は化粧品などの小売りブランド企業の進出も多くなっている。そうした小売企業が挙げる主な進出理由の一つは「先進国でこれだけ安定的に人口が増え続ける国はない」というものである。

逆に言えば、35万人都市が毎年一つずつ消えて行く国に、その市場を狙って新たに投資したいと思う外資企業はあるだろうか。

さらに前述してきたように、オーストラリアは何年も前から「海外移民の受け入れ」という策を持つ。オーストラリア国民とほぼ同じ権利を持つ永住権を与え、家族の呼び寄せも可能だ。日本はそれを、頑に拒んできた。

移民受け入れの４つの視点

オーストラリアの今後の移民政策については、先の「世代間報告書（ＩＧＲ）」で詳述されている。

過去10年間で、オーストラリアの人口増加分のうち、海外移民が占める割合は、今後40年間で74％まで上昇することは紹介した。移民を受け入れることが、オーストラリア社会にとって今後ますます重要な下支え要因になるためだ。

ＩＧＲはそこで、移民を無作為に受け入れるのではなく、戦略的に受け入れる重要性を訴えている。まず、最大に考慮しなければならないのが、移民を受け入れることが、経済成長にいかに恩恵をもたらすかという点である。そのために以下の４つの視点があるという。

◆移民の受け入れ数
◆移民のタイプ（職業・年齢・出身国）
◆移民が当初居住する国内地域
◆移民を受け入れるプロセス（一時居住権から永住権、永住権から国籍取得）

これらを戦略的に組み込むことで、少子・高齢化に向かう傾向を和らげる効果が期待できる。例えば、オーストラリアの生産年齢人口の割合は65％だが、移民に限ると83％に跳ね上がる。そのうち35歳未満の割合は46％だが、移民に限ると82％とほぼ倍になる。国家が老化するのを移民によって人為的に食い止めているのだ。

また移民を当初、過疎地域に配分することで、地方の過疎化を食い止めることができる。これは特に過疎に悩む日本の地方にとっては参考になるはずだ。

さらにオーストラリア政府は、人種問題で国が分断危機に直面してきた米国を教訓に、これまで特に黒人やアジア人の移民を制限してきた側面がある。さすがに現在はそうした露骨な人種差別はしていないが、どの人種やどの国からどれだけ受け入れるかというのは、国家が主体的に決められることではある。

要するに移民を「戦略的に」受け入れるということは、経済成長や国民の年齢水準だけでなく、人種構成までも、コントロールできるということだ。

オーストラリアがこれだけ戦略的に動いているのに、オーストラリアよりはるかに深刻な事態にある日本が、移民政策に対して冷淡に見えるのは、霞が関や政府、もしくは日本人が潜在的に持つ「人種的偏見」のためではないかと筆者は勘ぐっている。これについては後述しよう。

日本人消費者だけに依存した企業

生産年齢人口の割合が下降し、経済成長にマイナスに作用することを「人口オーナス」と言うが、人口が大きく減少することで日本の国内総生産（ＧＤＰ）を押し下げる効果は疑いようがない。だが日本国内のエコノミストの中には、日本は少子・高齢化社会になっても問題ないという主張があるので驚かされる。

それらの主張は主に、「少子・高齢化が進む国で成長している国もある」「人口の増減と、一人当たりＧＤＰに相関関係はない」「世界は人口が増加しているのだから、国内市場に頼れない企業は海外需要に目を向けよ」などというものだ。

実際、経済協力開発機構（ＯＥＣＤ）加盟国で、リトアニアやラトビア、ハンガリー、ポーランドなどは、人口成長は停滞しているのに、ＧＤＰは確かに伸びている。だが、開発途上国や中進国は一人当たりのＧＤＰが日本の半分以下で、直接投資が集まっているという状況に過ぎないだろう。

日本企業にとってはこれまで、日本国内の１億２４００万人という安定感ある単一市場に依存するだけで十分だったが、既に国内市場の成長が望めないため、海外市場に進出したり、外国企業と合弁するなど多国籍化はかなり進んでいる。

だがそれとは別に、特に日本企業には、小売り、サービス、製造業などで、国内市場、つまり日本人消費者だけに依存した業界や企業が多い。卑近な例では、日本人を対象とした新聞や出版業界、日本の伝統的な加工食材や和菓子業界などもある。そうした業界の場合、総務省の予測通りに40年後に日本の人口が26％減れば、売り上げもそれに比例して減るのは自明の理だ。

それでも、世界では人口が増えているからといって、そうした商品の売り先を外国人に振り向けるわけにはいかない。和菓子などの日本の商品がたとえ海外で人気が出たとしても、たかが知れている。日本でしか使われない日本語による商品表記や味覚、文化の相違も、海外市場で販売するためにネックとなる項目は多い。

また「一人当たりのＧＤＰが維持できればいい」とされるものの、それは「女性や高齢者の積極的な登用」や「人工知能（ＡＩ）で生産性を向上させる」のが必須条件である。

それも「人口の減少ペースは予測でき、事前対応もできる」とは言うが、それは35年前の時点でも予想できたことで、当時から日本はほとんど手を打たず、女性の社会進出を促し、安心して子供を産める社会を促す政策など実施されなかったのは何度も強調してきた。

根強い移民に対するネガティブな印象

生産年齢人口が急減している日本にとって、移民政策は必須だと思われる。ＯＥＣＤの統計では、日本は累計で50万人以上の移民を受け入れており、主要国では4位とされる。

だがこれは「外国人技能実習生」を含めているからに過ぎない。その場しのぎ的に、足りなくなった生産年齢人口を補う短期労働力として受け入れているだけで、日本国籍どころか永住権も与えない。

前述した、オーストラリアの「戦略的な」移民政策は、日本にとって非常に参考になると思うが、どうも日本の政策担当者の間では、移民に対するネガティブな印象が拭いきれないようだ。だからこそ日本政府は、技能実習生などという「巧妙な形」でお茶を濁そうとしているだけだ。

移民のネガティブな印象の背景にあるのは、欧州諸国で湧き起こっているような、外国人移民に職を奪われるとか賃金水準が下がるといった経済的な側面も確かにある。だがそれ以上に、日本人の中にあるのは「治安の悪化の恐れがあるし、日本の医療や生活保護の受給対象にもしたくない」「出稼ぎが目的だ」などという「人種的偏見」だと思われる。これがオーストラリアや北欧諸国などの先進諸国と、日本との違いだろう。

なぜウクライナ難民とアフガン難民を区別するのか

日本は2022年に、ウクライナからの難民受け入れを始めた。難民を頑なに拒んできた日本政府としては異例のことだ。

外務省の世論調査では、ウクライナ問題で日本が特に力を入れるべき措置として63・7％が「避難民の受け入れ」と回答したという。国会でも与野党が「速やかな受け入れを」と、反対の余地はなかった。

日本はわざわざ政府専用機や、日本政府が借り上げた民間機で国内まで輸送し、難民一人当たり一時金16万円と1日2400円の支援金まで出しており、日本のメディアも受け入れを支援する風潮が強かった。だが一体なぜウクライナ人ならいいのだろう。

戦争による被害者だというなら、イスラム主義勢力タリバンから逃れたアフガニスタン人や、シリア人などにも適用されるはずだが、アフガニスタン人やシリア人が同じような支援は受けられない。

日本政府はウクライナ人を「避難民」と認定し、「難民」と区別しているという。これは諸外国には実に理解しがたいことで、日本政府に都合のいい解釈を練り上げたものだろう。「ロシアを包囲するための政治的判断」と見る向きもあるかもしれない。だが筆者は、それだけでは日本政府の行動を表していないと考える。筆者はその行動の背後には、ウクライナ人が白人だからという意識が日本人の根本にあるのではないかと勘ぐっている。

多かれ少なかれ、世界中の国々に、白人優越主義は跋扈している。特に日本人は、白人に対して憧憬を抱いているフシがある。テレビなどのメディアで頻繁に登場するメッセージを見ればそれは明らかだ。日本人自身の劣等意識と言ってもいいだろう。それは時に、白人国家に対する外交にさえ表れている。

またそのことは、なぜか日本の新聞やテレビの論調で言及されているのを見たことがない。根本原因に触れるのは無粋かタブーで、その点に触れるのさえ恐れているのだろう。日本には、「外国人が来れば治安が悪化する」とか「(特に日本人が格下と見る) 外国人に日本国籍を与えるのは気に入らない」などという理由と同時に、白人に対する憧憬もあるはずである。それが、ウクライナ人とアフガニスタン人に対する対応の違いに出ていると言えないだろうか。

オーストラリアを含めた先進国と日本の違いは、「先進国として移民や難民の人権を守るのは責任であり、義務である」という根本意識の存在である。

日本は難民条約にも加盟している。１９７８年に、特例的にインドシナ難民を受け入れたが、この時は国際社会からの要請があったためだ。２０２１年のアフガニスタン政権崩壊の時、この時だけでオーストラリアは５４３４人のアフガニスタン人に難民ビザを発行し、２０１３年度からの累計では2万１０４８人もの難民を受け入れている。

一方、日本はこの時、アフガニスタンのＪＩＣＡ（国際協力機構）で働いていたスタッフや家族らを特別に一斉に難民に認めたが、それはわずか１１４人に過ぎなかった。

移民や難民を受け入れることは、当然自国にマイナスの側面をもたらす場合もある。だがそれ以上に、先進諸国のリーダーの間では、難民の人権を守るために、自国ができる範囲のことをする責任があるという「ノブレス・オブリージュ（Noblesse oblige)」の意識を共有しているのだ。

ある難民の生い立ち

シドニーの中心部で２０２２年11月に、難民に永住権を速やかに与えるよう求めたデモがあった。オーストラリアでこうしたデモはよくあるが、平和的に行われる。

実はデモがあったその日に、筆者は偶然にも元難民の人と個人的に知り合った。彼から聞いた話が壮絶なものだったので、ここで紹介したい。

筆者が日曜日に愛犬をドッグパークに連れていくと、30代半ばの中東系男性がプードルを遊ばせてベンチでくつろいでいた。何の気なしに彼と雑談していると、一見洗練された風貌からは想像がつかなかったが、彼はイラン出身の難民であることが分かった。２０１３年にオーストラリアにボートで渡ってきたという。

彼は20代の頃、左腕に十字架の入れ墨を彫った。イスラム教国のイランでは入れ墨は違法ではないが、キリスト教の象徴である十字架を彫るのは御法度だ。そのため友人には強く反対されたが、キリスト教徒でもなかったのに、どうしてもその入れ墨を入れたくなったという。

案の定、イラン政府当局に通告され、彼は6カ月間投獄された。その間に、日本の江戸時代にもあった「踏み絵」のように、キリスト教に改宗したことを認めるよう拷問を受けた（悲しい表情で涙を浮かべていたので、どんな拷問を受けたのかは聞けなかった）。

彼は出所後、イランを脱出しようと決意。そしてオーストラリアへの密入国斡旋エージェントを探し出し、約６０００米ドル（現在のレートで約87万円）相当を分割で払った。まず偽造パスポートを作ってタイに入国したが、タイの検問所で偽造パスポートであることがばれて強制帰国処分に。だが諦めず、兄のパスポートを盗み、今度はインドネシアに入国した。両親には「ちょっと外出してくる」とだけ言い残した。

エージェントはインドネシアの地元警察とつながっていた。おんぼろの密入国船に乗り込み、約２００人が昼も夜も体育座りの姿勢のまま、すし詰めにされた。トイレなどなかった。数週間後、船はオーストラリア領に着いた。体重は10キロ減り、ガリガリにやせ細っていた。

着いたのは、難民の多くが漂着するクリスマス島ではなく、ダーウィンだった。その数年前にクリスマス島付近で難民船が沈没し30人が死亡する事故が起きており、同地域周辺を避けたのだった。

船からオーストラリア側に、難民として入国したい意思を電話で伝えると、数日後に許可が出た。２０１３年のことだった。その数週間後、アボット首相が政権を握ると、公約通り難民の密入国取り締まり強化を打ち出し、以来、ボート難民の密入国は事実上不可能になった。彼は間一髪で難民申請が間に合った形だった。

その後、実際にキリスト教に改宗した。彼によると、オーストラリア政府はキリスト教国の立場を維持するため、プロテスタントの牧師に、難民のキリスト教への改宗を奨励する補助金を提供しているという（その真偽は不明だが）。

彼は晴れて自由の身になり、オーストラリア国籍も取得した。しかしいまだに元難民としての規制はあるようで、現在どの国にも渡航できるが、インドネシアと母国のイラン行きだけはビザが取れないという。彼の説明では、それら両国に入国した際に拘束される恐れがあり、オーストラリア政府が国民保護の煩わしさを避けたいのだろうという。同じく難民として入国した彼の友人のうち、３人がイランにいる家族に二度と会えないことを悲嘆し、自殺した。

ちなみに、21年のオーストラリアの難民認定数は５万５６０６人だった。先の彼が漂着した13年は３万４４８５人で、以降緩やかに増加している。アルバニージー労働党政権は、そのうち１万９０００人に永住権を付与することを公約しているほどだ。

オーストラリアの地元紙によると、22年５月に労働党政権が誕生して以来、約１年間で、旅客機でオーストラリアに到着した難民（亡命申請者）は、なんと約２万２０００人に上り、過去最多となった。強制送還されたのはわずか12人にすぎなかった。

これは、労働党が、前政権の保守連合と比べて難民の人権に配慮するだろうという期待が背後にあるためと思われる。オーストラリアでは、難民ビザ申請の処理には通常約３～５年もかかる。保護ビザが下りなくても、強制送還までに一定年数の在留が許可されるシステムになっているのだ。

このことを利用して、中国などから就労を目的とした「難民」申請者が押し寄せるという事情があり、そうした一時難民が、建築現場で内装業といった特定業種に集まっており、その業界を支えているという皮肉な構造になっている。オーストラリア歴代の政権でも、難民に対する扱いには頭を悩ませてきたのは確かだ。

日本は本当に「おもてなしの国」？

その一方、日本を見ると、出入国在留管理庁の統計では日本の２０２１年の難民認定数はわずか74人で（難民認定しないが在留を認めた外国人は５８０人）、申請の結果が出たうちのなんと１・５％に過ぎない。先進国では呆れかえるほどの低い水準である。オーストラリアとは桁が３つも違う。

その内訳は、クーデター後の市民への弾圧が続いていたミャンマー人が32人（申請者は約３０００人！）だった。

アメリカは最近、国内にいるカメルーンやスーダンからの難民に在留や就労許可を認めた。日本では同国々からの難民申請はほとんど認めないという。

日本では21年3月に、名古屋入国管理局でスリランカ出身女性ウィシュマさんが、体調不良を訴え続けたのに治療を施されず、死亡する事件が起きて国際問題にもなった。

また同年から、不法滞在者とみなされた外国人を強制収容する日本の入管施設の非人道的な実態に迫ったドキュメンタリー映画『牛久（Ushiku）』が世界で公開され、22年2月には日本の劇場でも一般公開された。その内容は衝撃的なものである。

先に21年の日本の難民認定数を紹介したが、その前年の20年はさらに少ない47人で、難民認定しないが在留を認めた外国人も47人に過ぎなかった。後者が21年に580人に増えたのは、この事件や映画などで国際批判が高まったためだろうと推測される。

前述のように、オーストラリアの難民受け入れ態勢にはまだ問題があるかもしれない。だが、難民の再定住という意味で、オーストラリアは世界で最も貢献している国の一つであるのは間違いない。

その一方、「おもてなしの国」を標榜している国は、実は極めて排外的な国であることをまず認識すべきだろう。

移民減少でダイナミズムを失う

海外では共有される「移民が減少すれば、国家が衰退する」という危機感が、日本政府にまったくないのは不思議で仕方がない。

オーストラリアでは確かに、コロナ禍で国境間の移民が途絶えたことで、人材不足が顕著になり、賃金水準を引き上げた。賃金が上がったのだから歓迎されがちだが、それは大きな間違いだ。

農場のように、非熟練労働者の移民も必要とされる上に、熟練した技術を持つ移民を受け入れることが生産性の向上を促し、生産性の向上が賃金水準を引き上げるのは間違いない。

移民を受け入れないということは、投資が減少し、景気信頼感が下がり、生産が停滞し、国内資本が減少していく。要するに、経済がダイナミズムを失うということなのである。

近年、日本企業がますます海外に進出する一方で、日本に進出する外国企業の話は多くない。これは相変わらずの重厚な岩盤規制があることが要因だ。筆者も日本で会社を設立したことがあるが、銀行システムや行政手続き、ハンコを必要とする書類など、その煩雑さには途方に暮れたものだった。

例えばオーストラリアなら、ビジネスナンバーを取得すれば事足りる。それも数分でオンラインで可能だ。

その岩盤規制と煩雑な手続きの上にさらに、今後40年間で人口が26％減り、長期移民も受け入れず、ダイナミズムが失われていく市場に外国企業は魅力を感じていないのかもしれない。果たしてその時、日本はどうなっているのだろうか。

第9章

変わらぬ政治、変える気がない国民

国民はなぜ、政治の変革を拒んできたのか

筆者が日本を観察し始めた過程で最初に不可解に映ったのは、一見して映る日本社会の洗練さほどには、日本政府や霞が関による政策はまったく洗練されていない、ということだった。洗練されていないどころか、政策決定過程は非効率で、あらゆるところで責任回避が行われ、誰も決断できない。法解釈も杓子定規で融通が利かない。発展途上国の行政を見るかのようである。

そしてなぜか、最大の被害者であるはずの日本国民は、それに対してまったくと言っていいほど不満を抱いていない。もしくは、それに気づいていないことも驚きだった。官僚機構は、政治家と一般国民をいかに無力化させるかをよく知っている。だが、彼ら官僚自身もその犠牲者であることには気づいていない。

中国などの独裁国家を除けば、オーストラリアを含め他の民主的な先進国では、政治家の汚職や増税、もしくは政策の失態などが明らかになると、新聞やテレビで大きな議論を巻き起こし、選挙で政権が交代するはずだ。

ところが日本では、同じように大きな失政があっても、次の選挙では相変わらず同じ政党が勝ち、政権を握る。これには毎回、目を見張ってきた。

日本人はなぜ、統治能力を失した政治家や与党を交代させるという権利を行使しないのか。なぜ、政治的な変革を望まないのだろうか。

確かに戦後の日本の発展過程で、自民党を中心とした一党独裁的な政治が、高度経済成長期において重要な役割を担ってきたことは否定できない。自民党がまず経済発展を第一義に、産業政策や労働政策を中心に展開し、国民生活の安定と復興を目的とした政策を推進してきた。また外交面ではアメリカとの同盟関係を重視し、日本を安定した国際的立場に導いたと言える。だが１９８０年以降になると明らかに、自民党は政権の維持と利権の確保を優先したことで、政治改革や社会改革を遅らせてきた。大企業の利益を優先して、零細・中小企業、一般国民の利益や権利、生活水準の向上を無視した政策を実施してきた。

これは海外から見れば明らかだったが、日本人は依然として自民党による単独政権を支持し続けた。しかし自民党を支持し続けたというよりも、国民が政治の変革を拒んできた、もしくは、変革のすべを知らなかったというほうが正しいだろう。日本の国民は、一人ひとりが政治を変えられる自由があるとは思っていないのだ。

その背景には、日本の社会システムがある。

例えば日本の選挙では、国政選挙に立候補しようとする場合、「供託金」を納付しなければならない。衆議院小選挙区の供託金は３００万円で、比例代表の供託金は６００万円である。得票数が一定水準に達しない場合は没収されるので、一般国民は立候補しにくい。バックグラウンドに一定の支持層を持つ二世の政治家や、組織基盤を持つ政治家は圧倒的に有利だ。

しかも、この金額は海外の制度と比べて突出して高い。アメリカやドイツ、フランス、イタリアなどで立候補者が収める供託金はゼロだ。2番目に高いのが韓国で150万円、オーストラリア（下院議員）は約9万円、イギリス約8万円、カナダ約7万円などとなっている。

この制度は、選挙妨害や売名、冷やかしの立候補を防ぐ役割を果たすとも思われるが、それがあったからと言って、あくまでもそれは行政側の理屈だろう。海外でそれらが深刻な問題にはなっておらず、少なくとも300万円である必要もない。

この制度が国民から政治を遠ざけているという甚大なマイナス面があるのに、それを頑なに維持するのは、政界の秩序を維持したい既存の政治家や法務省の思いがあるに違いない。

お金がなければ立候補できないというのは、憲法違反とも言える。日本の憲法は第44条で「議員及び選挙人の資格については、両議院の議員及びその選挙人の資格は、人種、信条、性別、社会的身分、門地、教育、財産又は収入によって差別してはならない」と定めている。

オーストラリアの政治構造

ここでオーストラリアの政治を紹介しておきたい。

オーストラリアの連邦議会は参議院に当たる上院、衆議院に当たる下院の二院制である。これは日本の議会制度と同じだが、一番異なるのは議会制民主主義のあり方だろう。

オーストラリアは米国などと同じく、事実上の2大政党制だ。現在の労働党（Labor Party）と保守連合（Coalition ＝自由党と国民党連合）の2大政党が、数年おきに政権交代を繰り返してきた。

オーストラリアの連邦議会が開会すると、二大政党の論戦は、全国のテレビで生放送されるが、常に激しい議論が繰り広げられる。議会なのだから当たり前ではないか、どの国も同じだろうと思われるかも知れないが、日本の国会だけは違う。

極めて形式的で、質問に立つ議員に対して答弁を棒読みするだけの閣僚や議員が目立つ。それ以上に、質問を受ける閣僚の背後には担当官僚が控えており、質問によっては差し出された模範答弁を読み上げるだけの与党議員が多いのには驚いたものだった。

日本ではまた、質問に立つ議員がどんなことを聞くのか政府にわざわざ「事前通告」してあげる慣習もある。このために霞が関の官僚が、与党議員の模範答弁作成のために、議会開会中は深夜まで残業するのだという。

まるで舞台劇のセリフ作成準備だけに多大な人的労力が費やされるという、まったく生産性がなく滑稽なことで、日本の国会の様子をオーストラリア人に話すと、大抵は苦笑される。

オーストラリアの議会では（というよりも大半の先進国では）、原稿を棒読みするだけの議員はいないし、自ら堂々と議論をしており、まさに熱のこもった本当の議論が繰り広げられる。官僚に頼らず、連邦議会で最大野党の議員たちと激しくやり合う様は、一見激しいけんかのように見えるが、深い知識に裏付けられた信念がないとできない。

日本には、ディベート文化がない

今は亡き安倍晋三元首相が、2015年5月28日の日本の国会で、辻元清美議員の発言中に「早く質問しろよ！」とヤジを飛ばして紛糾する騒ぎになり、後日、首相が謝罪した、というニュースはいまだに覚えている。

この紛糾場面をビデオで見ると、確かに紛糾して議長が速記録を一時止め、議会が中断している。だが、何か内容的に問題のある発言が出たわけでもない。この場面の意味はオーストラリアどころか、海外では理解されにくいだろう。首相が早く質問しろと発言して謝罪せねばならないなら、堂々と罵倒しあうオーストラリアの議員は謝罪議員ばかりになってしまう。

しかしながら、ではこれまで言及したように、本来の日本の議会は「予定調和」が行き届いた議会なのかというと、これが不思議なことにまったく正反対の側面もある。

日本人はどこに行っても礼儀正しいと世界で評価されるが、なぜか国会に限らず、都道府県議会の議員によるヤジの応酬は、海外から冷やかされてもいる。

それに関して、世界中を駆け巡った日本のニュースがある。

２０１４年6月の東京都議会で、塩村あやか議員が、都の結婚や出産への取り組みについて質問した際、「そんなことを言う前にお前が早く結婚しないのか」などという複数のヤジがあったというニュースだ。

このために、日本の議会水準の低さどころか、日本人男性の次元の低さにまで踏み込んで、欧米社会から大いに批判された。これが問題化した後、ヤジを発した議員はさすがに謝罪したが、スケープゴートにされたのは２人程度で、ほかのヤジ議員たちは頬かむりを決め込んだ。

議員による過激な発言が多いオーストラリア議会といえども、同性愛者同士の婚姻を制度上認めるかどうかに注目が集まるなかで、そんな時代遅れのヤジはまずあり得ない。ところが、その時の都議会議場は、笑いに包まれていた。

これは「面前では言わず、匿名では罵詈雑言を繰り返す」というネット社会さながらであり、「表面的な調和は保ちながら、陰では足を引っ張り合う」という形式社会を映すようでもある。もしくは、緊張した「調和」に生まれがちな副産物の「シャドウ」を排出している、とも言える。

世界の先進諸国を見れば、いずれも小学校からクラスでテーマを設定して議論する「ディベート文化」が教育現場に導入されている。しかし日本には伝統的にそれがない。教師が、一方通行で教科書通りに教え、児童・生徒は基本的にそれを書き写して覚えるだけの教育だ。

その背景には、日本の文化に根付いた「予定調和信仰」がある。日本社会には伝統的な儀式が多い。特に小学校から高校まで学校内のイベントや行事としては入学式や始業式、卒業式（卒業式で行われる「呼びかけの言葉」という儀式は予定調和の典型だろう)、運動会や音楽会、卒業しても成人式や結婚式、また会社に入っても儀式的なイベントはある。それらの中に、参加者が自由に振る舞える行事はほとんどない。

儀式や行事のプログラムに沿って滞りなく遂行することだけが目的で、リハーサルに何日もかけることもある。こうして日本人は、社会に従順に従うロボットと化してしまっており、予定された調和を乱すことは許されず、乱した者は集団から排除する観念や習慣が身についてしまう。

電車で「お降りの際はお近くのドアから前の方に続いてお降りください」などという、事実上意味のないアナウンスは、ただ闇雲にお上に従うことが習慣化された日本を象徴するようなものである。

日本の社会は、侃々諤々(かんかんがくがく)やり合う議論には向いておらず、それが、儀式化された国会を生んでいる。政治家が原稿を棒読みしなければ、予定調和は保たれない。官僚のパペットと化した政治家が悪いというよりも、日本社会全体が国会でさえ、つつがなく進行する儀式を望んでいるのかも知れない。

地方議会も同じ構図

これは地方の都道府県でもまったく同じ構図がある。

筆者は、１９９０年代に働いていた日本の新聞社である県の県政を担当したが、議会が近づくと県職員は臨戦態勢に入り、議員向けの答弁資料を夜を徹して作成する。これはどの都道府県でも基本的に同じである。

県は、議会の一般質問で質問予定の県議会議員に、事前に県知事に（どの局に）どんな質問をするか、「質問書」を提出してもらう。ここには大体の質問内容ではなく、議会で質問する内容そのままを一字一句記載する。これは慣例上ほとんど義務となっている。それを基に、県幹部や知事が読み上げる答弁書を県職員が作成するわけだ。

筆者が県政を担当した年に、日本の地方議会を研究していたアメリカ人留学生が、議会の模様を見学していたが、彼はその予定されたセリフ通りに進める「お遊戯のような議会」に心底驚いていたものだった。

日本は民主主義が発達していると言いながら、政治や議会の在り方は、北朝鮮や中国の政治にも似た、議論ができない非民主国家的なイメージを欧米社会に与えているのだ。

ちなみに、ちょうどその頃の日本は、「官官接待」と呼ばれる習慣が日本全国の自治体に蔓延していた。地方自治体の公務員が、国の予算や補助金で有利になるよう、公費で中央省庁の官僚をもてなす悪習である。各県が数億円の公費を計上して、官が官を接待する習慣が根付いていたのだ。

これはさすがに全国のメディアで問題になり、各県議会でも追及されたのだが、筆者がいた県での収束の仕方は興味深いものだった。

県は「ある改善策」を取りまとめた。そしてそれを県議会の合意を事前に取り付けるため、議会の主要政党である自民党の最大会派と結託し、直後の県議会でその長老議員にその改善策を提案させる、という形にした。

同県で最大のシェアを持つ地元新聞はその過程の一部始終を知っており、翌日の新聞の一面には、その長老議員が議場で提案する写真と共に、大々的なトップニュースとして報じられた。脛に傷がある県は、最大会派に花を持たせ、地元の新聞やテレビにも大きく報じさせ、３者間で万事つつがなく問題は収束した。舞台裏を知らないのは県民だけだった。

問題を起こした県や公務員などは誰一人として懲罰を受けず、責任を取らなかった。「行政」と「議会」「新聞・テレビ」の３つの鉄のトライアングルが結託した出来事に、筆者は当時、日本という国の縮図を見たと感じた。

政治に関心がない国民

日本では最近、政治に対する無関心が話題に上る。それは如実に日本の投票率に表れており、国政選挙での投票率は約50％程度だ。20代の若者の投票率になると30％台に落ち込む有様だ。地方選挙はさらに深刻で、都市によっては20％台という首長選挙もある。

国際日本データランキング（2021年）によると、国政選挙の投票率はOECD加盟38カ国中、日本は32位である。ちなみに1位はオーストラリアだ。オーストラリアの投票率が高いのには理由があるが、これについては後で解説する。

特に日本の若い世代の投票率が低いということは、現政権にとって有利な状況を続けるため、票を稼げる高齢者向けの政策が増えるということにつながる。日本ではここでもまた、「現状維持」の強力な圧力が働いているのが分かる。

低投票率の状況では、投票者に占める組織票の割合が大きくなるため、自民党や公明党といった組織基盤の強い政党が有利になる。自民党は都道府県連合会を通じて支持者を組織化し、業界団体や地縁団体とも密接な関係を築いている。

公明党は支持母体に創価学会があり、共産党もある意味で強固な議会外組織を持つ。こうした組織基盤は選挙に際して有権者を広範囲に動員できることにつながる。日本では、各政党の政策の是非が、選挙での判断材料になりにくいということである。

日本の場合、政治家や日本の新聞・テレビは、投票率を上げようという意思表明はするが、問題は、現政権や官僚が、投票率を低いままにしておこうと考えているフシがあることである。

投票率が低い背景にある、投票が煩わしいと感じる層にとっても、投票しやすい制度を導入することが一つの解決策になる。だが日本では、不在者（期日前）投票の制度もまた煩わしくなっている。

住民票がある地域とは別の場所に住んでいる場合、住民票がある地域の「不在者投票の投票用紙等の請求書兼宣誓書」を、選挙管理委員会のホームページからダウンロードして申し込み、さらに数日後に届いた「不在者投票の投票用紙等の請求書兼宣誓書」に記入して、郵送しなければならない。

しかも、請求書が受理されてから届く「投票用紙、投票用封筒、不在者投票証明書」を持って「不在者投票所」に行ってようやく投票できるという煩わしさなのである。

ネットで投票するオンライン投票については、他国と比べて日本は相も変わらず消極的だ。そもそも、これらを導入して投票率を上げることに政権側が旨味を感じていないことが最大のネックだ。投票制度をあえて煩わしいままに据え置き、若者や無党派層の投票率を上げないようにしていると言われても仕方がない。

日本人は、自分たちの目の前に並べられた政策群の中から、どれが自分たちにとって最善の政策なのかを選ぶ自由がある、ということに気づいていない。日本政府や新聞・テレビは、国民にその自由があることを知らせたくないかのようだ。

オーストラリアの「義務投票制」

もしも、こうした日本の閉塞状況を打破できる秘策や処方箋が存在するとしたらどうだろうか。

先にオーストラリアの投票率はＯＥＣＤで1位であることを紹介したが、実はオーストラリアの選挙制度が日本には非常に参考になるので、ここで紹介したい。

最も特徴的なことの一つが「義務投票制」である。オーストラリア国民は原則として、投票が義務化されているのだ。

つまり、投票しなかった場合は原則として55豪ドル（約５０００円）のペナルティーが科せられる（病気などの「特別な理由」が認められた場合は免除される）。それほど高額ではないが、１９２４年に投票が義務化されて以来、投票率は約９割を維持している。それまでは現在の日本と同じように投票率が50％台に低下していた。

投票することで、国民も自然と政治に対する判断力を養い、政治が身近に感じられるようになる。そして国内の政治家は、常に国民を意識することが行動基準になる。これが最大のメリットだろう。よって、日本のように政治が官僚にコントロールされるということはなくなる。

オーストラリアでは投票が義務である代わりに、正式な投票日に旅行に行くなどの予定がある人は不在者（期日前）投票を利用できる。日本の不在者投票の期間は約2週間程度だが、オーストラリアは約3週間設けられているので、不都合さはさほど感じない。

オーストラリアの投票者のうち、約30％以上が期日前投票を利用しているほど期日前投票は広がっている。どこの投票所でも投票でき、期日前投票や海外からの在外投票、郵便投票、視覚障害者は電話投票も可能だ。これらも国民に馴染んでいる感がある。

投票所では、ホットドッグが無料で振る舞われるというイベント的な雰囲気もある。投票が義務化されていることに対して、オーストラリア国民からの不満は一切ないと筆者は断言できる。

もしも投票したい候補者がいないのなら、白紙で投票すればいいことだ。この手の議論には「投票に行かない自由を尊重する」とか、「罰金が嫌だから投票するというのは民主主義にとって望ましくない」などという詭弁が必ず出てくるが、それは投票率が極めて低いマイナス面を凌駕するようなものではない。オーストラリアや米国では、投票を義務化すると政治の正当性が高まるという研究データも出ている。

日本で投票率が低いのは、政治に関心を持つ割合が低く、自分の一票が政治を動かすという政治参加意欲も低いことは先に言及した。国政選挙の投票率が30％などという、民主国家として危機的な状態に瀕しているのだから、この状況は早急に改善しなければならない。だがどうも、政府は国民の「投票に行かない自由」を持ち出して言い訳にしているところがある。

日本で義務投票制を導入するには

日本で義務投票制を導入するためには、憲法や選挙関連法の改正が必要となる可能性がある。保守的な日本を改革する上で、これが最も大きなネックだ。

日本で投票を義務化するかどうかを問う国民投票を実施することは、一つのアプローチとして考えられる。オーストラリアでは国民投票の制度はある。憲法改正以外の国民投票は、これまで国歌の選択など3件実施されてきた。

日本には、法的拘束力を伴う国民投票の制度は存在しない。議会民主制で政治や法律の重要な変更は、国会での審議が必要とされるためだ。

しかし、地方自治体や特定の地域レベルでは住民投票は行われることがある。これは地域の特定の問題について、住民の意見を反映させるための手段として実施されるものであり、国全体での国民投票とは異なるものだ。

国家機関が例えば任意に、国民投票を実施するのは可能だとしても、投票によって示された国民の意思には法的効力はない。

法的拘束力のある国民投票制度を導入するためには、憲法改正や法改正が必要となる。しかも憲法を改正するには各議院の総議員の3分の2以上の賛成が必要で、さらにそれを通過したとしても、その承認には国民投票で過半数の賛成を必要とする。法的拘束力のある国民投票を実施するかどうかを決めるための国民投票を導入するのに、まず憲法を改正して国民投票を実施せねばならない、などという目が回るような手続きが必要なのだ。

ここに、「日本という呪縛」がまた顔を出す。

日本の投票率が危機的な状況だという明らかな問題が存在するのに、その最善の処方箋を提示しても、その処方箋を実施するのはほぼ不可能だ、という呪縛である。

死票率が高い不完全な日本の選挙制度

日本の衆議院議員選挙は、1つの選挙区で1人を選出する「小選挙区制度」と「比例代表制」を組み合わせた制度だが、小選挙区だと当然ながら大きな政党の候補者が勝ちやすくなる。日本の場合は2大政党制ではなく、複数ある政党の中で自民党勢力が圧倒的に多いので、小選挙区制度は自民党に有利であり、政局が安定しやすいとも言えるし、政権交代が成立しにくいとも言える。

小選挙区制の最も大きなデメリットは、死票が多くなることだ。1位以外の候補者に投票した民意はすべて切り捨てられるということだ。

しかも日本の場合は、投票率が極めて低いので、その中で得票率が1位になったとしても、有権者全体からみた支持率は低くなってしまう。死票率が6割に達することも珍しくない。そうしたデメリットを補う形で比例代表制があるものの、地方選挙では行われず、それに死票も劇的に少なくなるわけではない。

例えば、手元にある2012年12月16日の総選挙のデータを参考にすると分かりやすい。

自民党は、小選挙区の得票率は43%に過ぎなかったにもかかわらず、小選挙区全300議席の

79％に当たる２３７議席を奪う圧勝となった。

このとき、投票率は衆院選の戦後最低記録である約53％だったので、自民党が小選挙区の全有権者に占める比率は約24・７％、比例に至ってはわずか約16％だった。つまり自民党は、全有権者の約４人に１人、比例は約６人に１人にしか支持されていないのに、圧倒的な数の代議士を確保したことになる。このときの死票率は56％にも上ったのだ。

ここに、日本人の政治への無関心と、小選挙区制度の破壊力が如実に表れている。

「優先順位記載方式」という投票方式

もう一つ、日本が参考にするべきオーストラリアの選挙制度がある。投票者が候補者全員に対して支持順に番号を付ける「優先順位記載方式（Preferential-Voting）」という投票方式である。

この投票方式では、例えば最初の開票で優先順位「１」を得た票の数が、各候補者の得票数になる。そこで過半数を獲得した候補者がいなかった場合、得票数の最下位候補者が除外され、その最下位候補者の投票用紙の優先順位「２」となっている候補者に、再配分される。過半数を獲得する候補者が出るまで、同じ過程を何度も繰り返すわけだ。

この投票方式の場合、1位票が少なかった場合でも後で逆転する可能性もある。

シミュレーションしてみると、例えばある選挙区には有権者が１０００人いて、選挙にＡ・

B・C・Dの4人の候補者がいて、1位票がそれぞれA＝400票、B＝300票、C＝200票、D＝100票だったとする。そこでDは最初のラウンドで除外されるが、その100人分の投票用紙で2位とされた候補者に100票を再配分したら、A＝420票、B＝350票、C＝230票となった。

そこで最下位のCは除外され、Cの230票のうち2位とされた候補者にそれぞれ割り振ると、A＝470票、B＝530票という結果になった。こうなると、過半数を獲得したBが逆転で当選した形になる。

この制度では、落選候補者に投じられて無駄死にとなる「死票」を限りなく少なくすることができる。自分が支持する候補者が仮に当選しなかったとしても、その次に支持している候補者が当選する可能性があるためだ。

日本が採り入れる比例代表制度は、政党が候補者の順位を勝手に決めるので、民意は直接反映されにくい。その点「優先順位記載方式」では、この候補者は絶対に嫌だという候補者がいた場合は、番号を最下位にするといった意向も投票に盛り込める。これは「世界で最も優れた選挙制

《「優先順位記載方式」のシミュレーション》

候補者	1回目	2回目	3回目
A	400	420	470
B	300	350	530
C	200	230	
D	100		

（有権者数＝1000）

得票が過半数に達するまで、繰り返す。

度」という評価があるほどだ。オーストラリアで、選挙制度に満足している割合や政治への関心も高いのは頷けるだろう。

日本の国政選挙で、５００億円以上が国民に投票を呼びかけるメディア広告費に拠出されるという。巨額の予算をかけて、政治への無関心に四苦八苦するのなら、投票を義務化すればいいことだ。国民が政治に自然に関心を持つ、もしくは持たざるを得ない仕組みにできる。

「自分の一票など意味がない」と皆が思っているから投票には行かず、政治にも関心が持てない。だが、「義務投票制」と「優先順位記載方式」で、自分の一票は無駄にしたくない、あの候補者は落としたいという意思表示は投票結果に必ず反映される。

すると徐々に政治家は、一部の有権者や組織だけを見た利権的な政策から、国民全体に目を配る政策に変わっていくと期待される。そこに狙いがあり、オーストラリアはそれが実現できている。

日本の政治の一番の問題は、国民と政治が乖離し過ぎていることである。そのために、国民は無気力になって無力化され、与党や霞が関に容易にコントロールされることになる。

「社会秩序」は維持されねばならない、「予定調和」は崩すべきではない、という日本人に根深く巣くう観念も、改革を阻む一因である。

日本がその呪縛から脱するためには、国民の意見が政治に反映されやすい「義務投票制度」と「優先順位記載方式」を導入することが、最良の処方箋のひとつになると思っている。

終章

日本人という呪縛

日本の官僚、政治家も縛られている

筆者が以前、霞が関のある省庁で最初に取材した時の新鮮な驚きはいまだに覚えている。その日は、省幹部への取材で訪れたのだが、本省の建物が古いこととは別に、館内は薄暗くて陰気な感じだ。夏の蒸し暑い季節だというのに、エアコンもあまり効いていないように思われた。廊下には意外に人が多く、職員は皆がサンダルを履いており、パタパタと早歩きで慌ただしく動いている。女性職員は少ない。

指定されたフロアの部署に取材相手がおらず、廊下を歩いていた職員らしき男性に尋ねたところ、その職員はやはり足早に付近の部署を探しに行ってくれたので恐縮させられた。

通された部屋は、4~5畳程度の窓のない資料室のような狭い空間で、周囲には雑然と資料がうずたかく積まれていたので苦笑させられた。簡単な会議室として使っているらしい。もしもこれが別の先進国なら、それが小さな市町村でも、きちんとした応接室に通されてインタビューをするところだ。だが筆者が見くびられたわけではなく、日本の省庁では本当に応接するための部屋がないのだ。だがそこは紛れもなく、先進国の日本であり、その国策を担う本省であり、そしてインタビュー相手も中堅幹部のキャリア官僚である。

取材自体はつつがなく進行したが、その途中、全館のアナウンスでラジオ体操が入った。平日は毎日流しているらしい。中堅幹部はそれを無視して話していたが、筆者は失礼ながらあることを思っていた。この館はまるで、罪を犯した者たちが収容される監獄のようだと。

取材を終えて帰る際、フロアの階段を見ると、明らかに外部からと思われるスーツ姿の中年男性の2人組が、疲れたように階段の途中に座っていたのでぎょっとした。これは都道府県の職員で、陳情に来ているのだと想像させられた。その様子から、待機する場所もない上に、よほど待たされていたのだろう。

異様な環境で働く中央官僚たちと、その権限の大きさ。そして、中央に平伏せねばならない地方の都道府県の悲哀。地方でもまた同じ構図があり、誰も修正することができない頑丈で複雑な国家システムになっている。筆者は、その日のインタビューの内容よりも、得体のしれない国家中枢を垣間見たような、あの光景が強く印象に残っている。

筆者は、日本の官僚や政治家が、あらゆる分野の政策で、現状維持や予定調和を崩さないよう、システムを守ろうと躍起になっているのを見る時、あの日のことを思い出す。彼ら自身が日本というシステムの監獄に縛られているうちに、自由な感覚が麻痺してしまっているのだ。

「予定調和」と「現状維持」

世界の社会学者の間でよく聞かれる言説に、日本人は自分たちを特殊だと考えている、というものがある。それは、日本人だけが特殊であることはあり得ないという前提で、日本人の思考パターンを批判的に言い表す時に使われている。

だが日本をこよなく愛する者として言うと、良くも悪くも、日本人は明らかに特殊である。それは特に言語、そして伝統、文化、料理などにも表れているが、その他に、国家構造や人々のメンタリティーでもそれは言える。

その日本という独特な国家や日本人の特性が、政治家や官僚制度、メディアによって食い物にされていき、悲惨な形で特殊になりつつあるのを、筆者は30年以上も見てきた。本書でそれらを書いたが、日本に住んだ経験から提言したいことは、ほかにもまだ山のようにある。

実はその日本分析の過程で、誘惑にかられるある思いがある。世界で称賛されている日本の伝統芸能や、繊細な漫画やアニメといった現代文化、正義を重んじ、奥ゆかしく、控えめな振る舞いを良しとする日本人の性分などは、もしかすると、こうした権威や制度に従順である社会だからこそ育まれたものかもしれない。だとすると、社会を変えることは日本人を日本人でなくしてしまう可能性がある、という根拠のない思いである。

その思いは、13億人の中国人をまとめるには、言論の自由を認めない現在の共産党の圧政が必要だった、という言説にも似ている。だが、それは変革するにはあまりに根が深く入り込み、強靭で頑丈な制度になっていて、一般庶民の力では変えるのは到底不可能だ、という絶望感から来る悪魔的な誘惑の思いに過ぎない。

もしも先の思いを甘んじて受け入れるなら、個人の自由や幸福という犠牲を肯定しなければいけなくなる。それこそ、「予定調和」や「現状維持」を狙ってきた権力側、政治・官僚・メディアという3つの権力の思うつぼだという気がする。我々はあらためて、人間の自由や幸福感に立ち戻らなければならないと思っている。

日本的な価値観を外側から見つめ直す

社会学で「構造主義（Structuralism）」という思想がある。人間の言動はその人間が属する社会や文化の構造によって決められているという考え方だ。

人は、自分の暮らす社会の通念や社会的なしきたりを常識として受け入れながら、自分自身の考え方を形成して育っていく。圧倒的多数の人は、その通念を疑うことがなく、無条件にそれを当然のものとして受け入れて自分の考え方を形成している。

しかしその社会通念は、まったく違う文化的・文明的背景を持っている人からすると、実に奇妙に見えることがある。またある時代の常識が、後の時代から見ると理不尽に見えたりもする。

人間社会の深層には目に見えない「構造」があり、その構造が、目に見える形の社会的・文化的現象を決定し、形作っているに過ぎない。

つまり我々は、自由に考えて自分の意見を持ったり、自由に判断しているようでいて、自分が所属する社会が受け入れる基準に沿って考えさせられているということだ。

筆者は特に日本人に、そのことにまず気付いてほしいと思っている。

そこで日本人が、日本的な価値観に縛られていることを外側から見つめ直し、日本人としての「呪縛」や「洗脳」から自由になって、より主体的に生きていくということを提唱したい。

もしも日本人の多くが、幸福感を感じられないとか、自由な雰囲気がないとか、日本の社会はどこか緊張を強いるといったことを感じているなら、日本で当たり前のように信じられていることや常識だと思ってきたこと、生まれ育った家族や学校、コミュニティーで共有されていたこと、まずそれらを疑ってみる視点が重要だ。

今までの「常識」が自分を苦しめていたり、自由な行動を制限していたり、生きづらい原因になっていたりするとしたら、その常識は脱ぎ捨てたほうがいい。

日本人は、できるだけ若い時期に、外国に出て生活してみることが有用ではないか。こんなにも自由に振る舞って良かったのかという気づきを始め、人間の価値観が本来多様であることに気づくことだろう。

「はじめに」で、サッカーの久保建英選手や、野球の大谷翔平選手の例を紹介したが、スポーツの成績についてではなく、彼らが羽を伸ばした振る舞いをしていることが、それを物語っている。

自由を獲得するために、今までの「社会通念を疑い、社会的権威など、束縛するあらゆるものと戦う精神」が、日本人には特に必要だ。

「先輩や上司には盲目的に服従せねばならない」「政府に反対するべきではない」「痩せていなければならない」「容姿は美しくあらねばならない」「男は男らしく、女は女らしくあらねばならない」「いい大学に入らなければならない」「大きな会社に入らなければならない」「金持ちでなければならない」「人に絶対に迷惑をかけてはいけない」――。

そうした世間体や社会通念は、日本人がこれまで社会構造で無理やりに与えられたものにすぎない。それは周囲や学校、新聞やテレビを通じて与えられた、幸福感には結びつかない価値観である。その呪縛から解放されるには、与えられた通念をまず疑い、長年育った井戸の外に出る必要がある。

井戸から出て初めて、自分はどんな社会で育ち、どんな教育を受けてきたのか、自分はどんな人生を歩みたいのか。それを客観視し、自分の考えでまとめ、行動できるようになる。

今のままでは国民は自由で幸福にはなれない

ところで日本では、２００４年当時から年金制度が大混乱した時期があった。年金記録がずさんで、個人情報が漏洩していた問題が世間を騒がせたが、中でも一番大きな問題は、年金保険料の５兆６０００億円もの巨額が、年金給付以外に使われていたことだ。

しかもその使われた先が、無駄な年金保養施設だったり、社会保険庁長官の香典代や公用車の購入費、職員の健康診断費用や宿舎の建設費などだった。要するに、国は年金として国民から集めた金に手を突っ込んで、自分たちの私用目的に流用していたのだ。それに対して、誰も刑事責任を問われなかった。

筆者は断言できるが、こんなに大きな不祥事が明らかになっても大規模デモが起きないどころか、政権が交代しない先進国はない。

例えばフランスは２０２３年に、年金の受給開始年齢を62歳から64歳に引き上げることを決めた。日本でも受給年齢の引き上げは繰り返されてきたことで、巨額の年金流用問題に比べれば、驚くことでもない。だがそれでも、フランスでは各地で大規模なデモが繰り広げられ、国民の間で激しい反発の声が上がり、国を揺るがす大騒動となった。自分が納めた年金を国が支払わないとなったら、どの国でもフランスと同じような反応を示すだろう。

日本人がおとなしいというのは美徳に聞こえるかもしれないが、これは権力側にいいようにやられる、ということでもある。日本政府が長年、最低賃金を上げてこなかった結果、日本はついに非常に低賃金国に成り下がった。国民は疲弊しているのに、だれも文句を言わない。

ここであらためて、「はじめに」で言及した、大震災に見舞われた際の日本人の冷静な振る舞いについて考える時、筆者は、海外でも驚愕を持って見られる東京のラッシュアワー時の満員電車を想起する。乗客同士が身体で圧迫するほどすし詰めになりながら通勤するという人権を蹂躙するような状況にも、日本人は長年文句ひとつ言わないことと、災害時に大人しく振る舞うことは、もしかすると根が同じなのではないだろうか。

モラルが高い国民というよりも、批判を承知であえて言えば、困難な状況で声を上げる自由を奪われているに過ぎないのではないか、ということである

一番の問題は、個人が声を上げたり、立ち上がりたくても、日本では個人を取り巻く学校や企業、社会制度がそれを許さない制度になっている、ということだ。

国や県、市町村は、今の体制のままでは日本国民が自由で幸福になることはないと気付き、早急に変わらねばならない。

いささか遠回りのように聞こえるかもしれないが、日本が推し進めるべき政策の一つが「義務投票制」を含む選挙制度改革である。現在の制度では、国民の大半が国の政策に参画していないことが、すべての問題の根源である。本書で紹介した「優先順位記載方式」により、国民に自分の一票が影響を与えるという自覚を持たせ、政策に関心を持たせることができれば、国民に目を向ける政府に徐々に変わっていかざるを得ない。

日本人は、日本という「制度」の奴隷になっている。「予定調和」という幻想に洗脳されている。だからこそ、制度をまず変えることが、日本人の意識を変えることになると信じている。

国民自身が国の方向性を決めるパワーを持っていると自覚してもらうことが第一だ。「義務投票制」と「優先順位記載方式」という2つの選挙制度は、世界のどの国よりも、日本の国民性に

最も合致した制度と言っても過言ではない。

学校や社会で多様性を「奨励する」

また、教育制度改革も重要だ。日本は、多様性（ダイバーシティー）が絶対的に足りない社会である。

前述したが、日本のいじめ問題は「強い者が弱い者を対象にするいじめ」だと片付けられがちだ。日本ではよく、「弱い者いじめは良くない」などという、著名人を使った啓蒙的ないじめ撲滅キャンペーンが毎年のように各地で行われるが、そうしたキャンペーンは概して功を奏さない。

日本の場合、その背景に「多くの人と違う人を排斥する」という村八分の発想がある。つまり、いじめの問題が長年深刻に伝えられながら日本で一向に収まらないのは、日本の学校や社会などで多様性を尊重しない価値観が定着しているからにほかならない。いじめの原因として、そのことに最も着目すべきだ。

日本は帰化できる前提での移民を受け入れず、日本人ばかりが集まる学校のクラスや組織を奨励し、多様性を排除してきた。教育制度や学校、クラスで「多様性があるのは素晴らしいことだ」とは教えていないのに、弱い者いじめはダメだと言われても、児童・生徒たちがそうした価値観を与えられていないのだから無理もない。彼らは自分が強い者だとか、弱い者をいじめているという観念がなく、むしろ集団の毒を排除しようといった観念を持っているのだ。

そこで日本は、教育制度で多様性を「受け入れる」以上に、多様性を「奨励する」価値観を植え付けねばならない。そもそも日本は経済的にも、移民を必要としている。

日本とオーストラリアのいい面を融合した、和洋折衷の成功例はある。

オーストラリアに、主に日本人駐在員や現地日本人の子供たちが通う日本人学校がある。中でもシドニーの日本人学校は、小学部と中学部、インターナショナル学級があり、日本国内の公立学校が持つ懇切丁寧な教育の性格と、オーストラリアの学校が持つ伸びやかな教育の性格という、両国のプラス面が融合した学校になっている。そのため、児童・生徒の親や卒業生などから素晴らしい評価を受けている。

陰湿ないじめなどはほとんどなく、「自分が親になって子供ができたら、是非この学校に通わせたい」という卒業生が多いという。

日本人という真面目で控えめな性格の子供たちが海外に出て、自由に考えて行動していいのだ、ということに心の底から気づいたときに、彼らの幸福感や潜在力が花開くことを示している。

洗練された社会の中で日本人は脆（もろ）くなっている

国家を論じる際に、筆者は時に、その国家を一人の個人として見る習性がある。国家が抱える問題を、人間個人として精神病理的に分析することで、その処方箋、つまり国家や国民の方向性が示しやすくなるためだ。そして特に、日本という国家を擬人的に分析すると非常に興味深いことが見えるような気がする。

日本社会という国家（肉体）は、表面的には非常に洗練されているのだが、その内面を見ると、個人（細胞）が非常に疲弊している。それはこれまでに詳しく述べてきた。

日本は個人のためによかれとしているインフラや社会システムの改善が、それが高度になればなるほど、個人に悪影響を及ぼしていることに気が付いていない。それはまるで人間が、ウイルスや雑菌を排除しようとして無菌状態や清潔さにこだわるあまり、身体のウイルスや雑菌に対する耐性を脆弱化しまうことにも似ている。

精神分析で「フラストレーション耐性（Frustration tolerance）」と呼ばれるものがある。これは人の精神的成熟度を測る基準としても使われる。人間の日常社会は本来、不便で不都合なことや、自分が思い通りにならないことのつづれ織りである。しかしそのストレスやフラストレーションを受け入れたり、乗り越える時に、人間としての成長がある。

実は日本は、その社会システム上のフラストレーションを、可能な限り排除しようと発展してきた社会である。

日本で外国人が驚く社会システムの主なものに、精緻なシステムで制御された新幹線がある。分単位で狂いのないスケジュール。乗客が座席を予約する際には、窓際か通路側かといった乗客の座席要望まで聞く管理システム。列車だというのに、高級ホテルのような温水便座付きのトイレ完備。駅のホームはもちろん、車内でも全国各地の特産で彩られた弁当が販売される。

ところが、人間の心地良さや効率性を追求するあまり、それが少しでも欠けた場面を許容できない習性を日本人に与える結果になっている。

例えば筆者は何度も経験があるが、混雑した駅のエスカレーターやホームで、早く行け、と言わんばかりに後ろの人から「無言で」突かれる場合さえある。大きなキャリーケースを抱えた旅行者や身体障がい者などさまざまな人がいるというのに、「すみません」という一言もなく、一心に会社や学校に向かう流れに乗れない人たちを無言でせかすことが多い。

制度やシステムに洗脳されてしまっている日本人は、自由と人間性を取り戻すべきである。

オーストラリアの「No Worries（心配ご無用）」でいい

レストランや小売店など、日本のサービスは、顧客がフラストレーションを感じないよう過剰なほど配慮されている。社会や組織の人間関係に摩擦が生じないよう、どちらが上か、どちらが下かを、基本的に年齢によって明確化している。また、それが煩わしい人向けにレストランが「おひとり様」用のテーブルを設けたり、一人用炊飯器などの家電さえある。

そうした環境は個人のフラストレーション耐性を脆弱化させ、幸福感を感じにくくさせている。

世界の国々では、日本より遥かに、他人に対する「許容範囲」は広い。インフラが整っていないことはごく普通で、電車が5分程度遅れても誰も文句は言わない。オーストラリア人は「No Worries（心配ご無用）」という言葉をよく使う。たとえ相手に非があっても、それを言うことでお互いのミスや環境を許容する社会にしているところがある。

日本人は他人に敬われることに慣れ過ぎて、店や製品に些細な不備があるだけで、過剰に苦情を言うクレーマー社会になってしまっている。

スープ専門店が、赤ちゃん向け離乳食を無料で提供すると発表したところ、「おひとり様を大事にしない店だ」「もう二度と行かない」などといった非難がネット上で集まったとか、持ち帰り弁当にタルタルソースが入っていないだけで、弁当屋にクレームをつけて自宅に届けさせた、などという話は日常茶飯事でどこでも起きているが、おそらくこうしたことが起きるのは日本だけだろう。その感覚は常軌を逸しているレベルだ。

あらためて言うが、日本人が、日常社会でのフラストレーションを極力少なくしようとして発展させてきた高度な社会環境は、残念ながら、日本人の精神を逆に退化させている。

「子供を不幸にする一番確実な方法は、何でも手に入るようにしてあげることだ」（ジャンジャック・ルソー）と言われるが、同じように、ある程度の社会的制約は人間の精神的成長にとって重要なのである。

インフラの発展に伴って必然的に失われてしまう人間の寛容さを、日本人はまず、自ら気づいて取り戻す必要がある。

別の言い方をすると、日本人は、自分で自分に呪縛を与えて苦しめるマゾヒズム的傾向があるとも言える。自分で自分の可能性を否定し、無力感や劣等感を味わうように自ら仕向けているからだ。するとどうなるかというと、自分に自信がないために、権力や権威というお上の判断に依存するようになる。それは、日本の選挙を見れば、明らかである。「おらが先生」に依存し、改革しようとする候補者は決して主流になることはない。

エーリッヒ・フロムは、１９５０年代に既にマゾヒズムとサディズムは表裏一体であると説いたが、それは日本の社会にも反映されている。

学校や会社でも、後輩や部下として自分が課せられた服従や与えられた屈辱は、やがて自分が先輩や上司になると、今度はそれらを与える側になる。

会社でも、上司に過剰に平伏して従うような人は、部下には権威ぶって接する傾向が強い。また国家公務員が比較的低い給与で甘んじることで、国民に対して規制を緩めないという仕打ちで返す。

数多くの先進国では、国家公務員、特に高級官僚の報酬は、大企業の幹部クラス以上に設定されている。国の政策を担うキャリア官僚であれば、当然だろう。だが日本のキャリア官僚の場合、表向きの給料は低く設定されているが、それはあくまで表向きで、退職後に複数の天下り企業を渡り歩き報酬を得ることなどと、国民に知られない形でセットになっている。

その弊害として、天下り先となる既得権益を持つ特殊法人などは一向に縮小再編されず、行政改革できず、さまざまな業界の規制は緩まないままになる。

これらは、日本社会の権威と服従の構造が保たれてしまっている一例だろう。自分たちが課せられた苦渋を、後に自分たちが与えるという仕組みが永遠に回り続けるシステムである。

なくならない？　日本人の上下関係

オーストラリアの場合、会社組織の中では、社長や上司と従業員との垣根が非常に低い。上司の言うことには基本的に反発するとも言われるほどだ。自分と相手が数十歳もの歳の差があってもファーストネームで呼び合う社会だ。

日本は「人間は常に上下の関係があり、それを守ってこそ社会の秩序が保たれる」という社会である。それがある意味で、人間社会にとって「自由なコミュニケーション」という機能不全をもたらしている。

筆者は、まだ日本経験が5年くらいの時期に、日本人の同僚男性2人と、3人でビールを飲みに行ったことがある。丸いテーブルを囲んで楽しく会話をしていたのだが、その時、同僚の一人が、もう一人の同僚のカバンにビールをこぼしてしまった。

するとビールをこぼした同僚は、大慌てで別の同僚に平謝りし始め、カバンを拭き始めた。こぼされた同僚は気にするなと言ってはいたが、心なしか相手を責める雰囲気を醸していた。

その光景を見て、筆者は心底驚いた。２人はまったく同年代に見えたが「友達」同士ではなく、「先輩と後輩」の関係だったのだ。わずか1年の歳の差であっても、隔絶された壁があったのだ。

両者と親しいと認識してはいたが、外国人の筆者にとってはそれまで見えなかっただけで、彼らの間には微妙な上下関係、距離感があったのだ。同じ世代でも、日本人である限り、上下関係からは逃れられない。これは些細な出来事ではあったが、筆者にとっては、日本人の人間関係を知る上で衝撃的な場面だった。

本章でも述べたが、日本では敬語の使い方が細かく、先輩や後輩、上司や部下といった上下関係を厳格にするあまりに、コミュニケーション障害の日本人を量産している。そのことは、日本人自身が感じているはずだ。

日本人同士が本当に気やすい関係であるなら、お互いに敬語で話す必要はない場合が多い。だが年齢が一年違うだけで、片方だけが敬語を使う関係であるなら、彼らは一生、双方が気兼ねしない関係にはならないだろう。極端に言えば、気兼ねしない関係は自分と同じ年に生まれた友人しかいない、ということにもなる。

そのため、安心した、心置きなく付き合える人間関係の幅が限られてしまう。高齢者を含め、日本社会で孤立する人が多くなっているのは、このことも数ある要因の一つではないかと感じている。

「人間関係」を重視した社会に

最後に紹介したい調査がある。

「人生に幸せをもたらすのは何か」について、1938年から約85年間にわたって調べたハーバード大学の有名な調査だ。被験者724人を対象に、幼少期から亡くなるまでを追跡調査した。これは世界最長の調査と言われ、研究者は既に4代目に入っているという。

それによると、人生に幸せをもたらすかどうかを決める決定的な要因は、資産でも名誉でも、まして美貌の肉体でもなく、「社会で良好な人間関係を築いているかどうか」だった。幸福と人間関係には、強い相関関係があったのだ。また、社会的なつながりが強い人ほど肉体的にも精神的にも健康であることも判明した。

周囲の人々や社会との関係がいかに大切かを示している。

だが日本が進んでいる方向は、「おひとり様社会」とも言うべき、人間が社会とのコミュニケーションを不要とすることを奨励する方向である。

筆者は大学時代、精神病理に関する心理学を学んで目からうろこが落ちた経験がある。脆弱だった自分の精神状態を客観視でき、これは高校生段階で必修科目にすべきだと強く思ったのを覚えている。

国家にとって、国内総生産（ＧＤＰ）を重視した教育よりも、細胞である国民が精神的に健康であることが、遥かにその国家を健康にしてくれるはずである。

その教えが、最も当てはまるのが現代の日本だと思っている。

ミッドライフ・クライシスの先へ

また心理学では、人間は40〜55歳前後という中年期に、自分の価値感や生き方を揺るがすような大きな転換期が訪れると説く学説がある。

今まで大切にしてきた価値観に意義を見出せなくなって、新しい生き方を迫られるとか、突然病気になったり、うつ病になったりして今までの仕事を辞めざるを得なくなるとか、不慮の事故に見舞われて重傷を負うといった人生の曲がり角が来る。

これは心理学者のユングが提唱した「ミッドライフ・クライシス（人生の正午）」と呼ばれるもので、あらゆる人に訪れるものだ。そしてこれを乗り越えると、その後の人生の価値観を変え、幸福感につながると言われている。

つまり、ミッドライフ・クライシスは、人間がより高いレベルに成長するには欠かせない、成長への脱皮過程なのである。別の言い方をすると、人間は、人生というゲームの中で、生みの苦しみを通過しなければゴールにたどり着けない仕組みになっているのだ。

実は筆者は、日本という国家も現在ミッドライフ・クライシスの中にあるのではないかと思っている。1945年の敗戦で日本は第一幕を閉じた。そして裸一貫の状態から、経済成長や物質的な豊かさという、エネルギッシュな価値観を手にしながら歩んできた。それが約80年も続いてきた。

だが、その一面的な価値観ではどうしても限界が見え始め、さまざまな歪みが生じ、このままでは乗り越えられない状況に陥っている。東日本大震災や原発事故といった、単発的な災害や事故だけでなく、高齢化社会や心の問題、女性の社会参画、減少する人口の問題など、経済発展だけでは解決できず、日本人の価値観や社会構造を再構築せざるをえないような問題が怒濤のように押し寄せている。

ミッドライフ・クライシスに直面した人が、悩み、葛藤しながら乗り越えるのと同じように、日本という国家も、これまで大事に抱えてきた古い価値観を見直し、新しい価値観を形成する必要があるのではないか。

それは、企業や組織、霞が関中心の価値観から、個人の幸福や自由を尊重する価値観への転換といっていい。また、一面的な価値観ではなく、より国際的で、多面的で、多様性を含んだ、人間的深みのある価値観を持つ国家への脱皮とも言える。

ユング心理学では、ミッドライフ・クライシスを経た個人の成長過程を「自己実現」と呼んでいる。それに倣うと、いわば国家の自己実現とも言えるだろう。

これまで述べてきたように、日本は、「政治」と「官僚」と「メディア（新聞・テレビ）」というゴールデン・トライアングルが、国家の変革を頑なに阻み、幸福感を味わえない日本人を量産してきたのは事実だ。

だが万難を排して、日本はミッドライフ・クライシスを乗り越え、国家の自己実現を経験すべきだ。すばらしい伝統文化と言語、歴史を持つという意味で、世界中どこを探しても日本という特殊な国は存在しないからだ。

世界でまれに見る、日本という貴重で伝統ある国家が、これからも健全な国として発展し、それを支える日本人の精神的健康を願ってやまない。

（了）

【著】デニス・ウェストフィールド（Dennis Westfield）
1969年オーストラリア・アデレード生まれ。経済・外交ジャーナリスト。サウスチャイナ・モーニングポスト紙記者などを経て、現在オーストラリアと日本を拠点に、アジア太平洋諸国の動向について幅広く取材している。

【訳】西原哲也（にしはら　てつや）
1968年長野県須坂市生まれ。時事通信社外国経済部記者を経て、香港大学大学院アジア研究修士課程修了。共同通信グループＮＮＡ中国総合版編集長などを経て、現在ＮＮＡオーストラリア代表取締役。
主な著書に『李嘉誠―香港財閥の興亡』（ＮＮＡ）、『中国の現代化を担った日本』（社会評論社）、『オーストラリアはいかにして中国を黙らせたのか』（徳間書店）など。

外国人には奇妙にしか見えない
日本人という呪縛
国際化に対応できない特殊国家

第１刷　　2023年12月31日

著　者　デニス・ウェストフィールド
訳　者　西原哲也
発行者　小宮英行
発行所　株式会社徳間書店
〒141-8202 東京都品川区上大崎 3-1-1 目黒セントラルスクエア
電話 編集（03）5403-4344　販売（049）293-5521
振替 00140-0-44392

印刷・製本 中央精版印刷株式会社

ISBN978-4-19-865745-1